CLASSIQUES LAROUSSE

Collection fondée en 1933 par FÉLIX GUIRAND
continuée par
LÉON LEJEALLE (1949 à 1968) et JEAN-POL CAPUT (1969 à 1972)
Agrégés des Lettres

JEAN COCTEAU

LA MACHINE INFERNALE

pièce en 4 actes

avec une Notice biographique, une Notice historique et littéraire,
des Notes explicatives, une Documentation thématique,
des jugements, un Questionnaire et des Sujets de devoirs,

par

PAUL GINESTIER
Docteur de l'Université de Paris
Maître de conférences à l'Université de Hull

édition remise à jour

LIBRAIRIE LAROUSSE
17, rue du Montparnasse, 75298 PARIS

JEAN COCTEAU ET SON TEMPS (de 1889 à 1938)

	LA VIE ET L'ŒUVRE DE JEAN COCTEAU	LE MOUVEMENT INTELLECTUEL ET ARTISTIQUE	LES ÉVÉNEMENTS HISTORIQUES
1889	Naissance de Jean Cocteau à Maisons-Laffitte (5 juillet).	Traduction française du théâtre d'Ibsen.	Condamnation du général Boulanger. La première constitution du Japon.
1911	Jean Cocteau fait la connaissance de Diaghilev et dessine une affiche pour les « Ballets russes » (le Spectre de la rose).	J. Romains : Mort de quelqu'un. Valery Larbaud : Fermina Marquez. Verhaeren : Toute la Flandre. l'Heure du soir.	Ministère Briand. Le « coup » d'Agadir. Révolution chinoise.
1913	Un ballet de Stravinsky, le Sacre du printemps, provoque une violente querelle à laquelle Jean Cocteau participe. Il écrit le Potomak.	M. Barrès : la Colline inspirée. A.-Fournier : le Grand Meaulnes. R. Martin du Gard : Jean Barois. J. Romains : les Copains. G. Apollinaire : Alcools.	Poincaré est élu président de la République française et Wilson président des États-Unis d'Amérique. Seconde guerre balkanique.
1915	Il est ambulancier. Il écrit le Discours du grand sommeil et le Cap de Bonne-Espérance.	A. de Noailles : les Vivants et les Morts. P. Claudel : le Pain dur. J. Copeau devient directeur du théâtre du Vieux-Colombier Mort de P. Hervieu.	La guerre des tranchées; échecs sanglants des tentatives de percée en Artois et en Champagne. Les Allemands occupent la Pologne.
1917	Première au Châtelet de Parade, ballet de Jean Cocteau.	G. Duhamel : la Vie des martyrs. P. Valéry : la Jeune Parque. Max Jacob : le Cornet à dés. Mort de Mirbeau, de Degas, de Rodin.	Révolution russe.
1918	Il fonde avec Blaise Cendrars les Éditions de la Sirène; il publie le Coq et l'Arlequin et le Potomak.	G. Duhamel : Civilisation. H. Barbusse : Clarté. J. Giraudoux : Simon le Pathétique. G. Apollinaire : Calligrammes. Mort d'Apollinaire.	Dernières batailles de la Grande Guerre et armistice (11 novembre).
1919	Chez Max Jacob, il fait connaissance de Raymond Radiguet. Il écrit des chroniques artistiques dans les journaux et publie le Cap de Bonne-Espérance.	M. Proust : A l'ombre des jeunes filles en fleurs. A. Gide : la Symphonie pastorale. Bergson : l'Énergie spirituelle. A. Breton : Mont-de-piété. A. Lenormand : La vie est un son...	Traité de Versailles. Fondation de la IIIe Internationale communiste. Élections françaises favorables à la droite. Grèves et loi de 8 heures (durée de l... journée de travail).

© Librairie Larousse, 1975.
© Grasset, 1934.

ISBN 2-03-870033-8

1920	Le Bœuf sur le toit.	A. Gide : la Porte étroite. G. Duhamel : la Confession de minuit. P. Valéry : Album de vers anciens. T. Tzara : Sept Manifestes dada.	A. Millerand, président de la République. Apparition de Gandhi. A Washington, le Sénat s'oppose à l'entrée des États-Unis à la S. D. N.
1921	Les Mariés de la tour Eiffel. Le Secret professionnel.	J. Giraudoux : Suzanne et le Pacifique. A. Malraux : Lunes en papier Max Jacob : le Laboratoire central.	Lénine triomphe en Russie. L'Irlande obtient son autonomie. Petite Entente.
1922	Le Grand Ecart. Plain-Chant. Thomas l'Imposteur.	J. Giraudoux : Siegfried et le Limousin. R. Martin du Gard : début des Thibault. P. Valéry : Charmes.	Mussolini prend le pouvoir en Italie. L'Allemagne et l'U. R. S. S. signent le traité de Rapallo.
1925	Opéra. L'Ange Heurtebise. J. Cocteau termine Orphée. Il rencontre Christian Bérard.	F. Mauriac : le Désert de l'amour. Scandales surréalistes. P. Valéry élu à l'Académie française.	Guerre du Rif. Pacte de Locarno.
1929	La Voix humaine. Opium. Les Enfants terribles.	J. Giono : Colline. G. Bernanos : la Joie. P. Valéry : Variété II. H. Michaux : Mes propriétés.	Crise économique en France; ministères Laval et Tardieu.
1932	La Machine infernale. Essai de critique indirecte.	J. Romains : début des Hommes de bonne volonté. J. Anouilh : l'Hermine. J. Galsworthy prix Nobel.	Le président Doumer est assassiné et A. Lebrun lui succède. F. D. Roosevelt est élu président des États-Unis.
1933	Les Chevaliers de la Table ronde.	A. Malraux : la Condition humaine. L.-F. Céline : Voyage au bout de la nuit. T. S. Eliot : Murder in the Cathedral.	Hitler prend le pouvoir en Allemagne. Dimitrov et Thaelmann en prison.
1934	Première de la Machine infernale, mise en scène par Christian Bérard, au Studio des Champs-Elysées. Portraits et Souvenirs, dans le Figaro.	L. Aragon : les Cloches de Bâle. Travaux des Joliot-Curie sur la radioactivité. L. Pirandello prix Nobel. Mort de G. Lanson.	Scandale Stavisky, émeutes de février, ministère Laval. Assassinats de Dollfuss, chancelier d'Autriche, et d'Alexandre Ier, roi de Yougoslavie.
1938	Les Parents terribles.	J.-P. Sartre : la Nausée. J. Anouilh : la Sauvage, le Bal des voleurs. A. Salacrou : la terre est ronde. M. Achard : le Corsaire. R. Martin du Gard prix Nobel.	L'Allemagne hitlérienne annexe l'Autriche, puis une partie de la Tchécoslovaquie. Accords de Munich.

JEAN COCTEAU ET SON TEMPS (de 1939 à 1963)

	LA VIE ET L'ŒUVRE DE JEAN COCTEAU	LE MOUVEMENT INTELLECTUEL ET ARTISTIQUE	LES ÉVÉNEMENTS HISTORIQUES
1939	La Fin du Potomak. Les Monstres sacrés.	Saint-Exupéry : Terre des hommes. J.-P. Sartre : le Mur. J. Giraudoux : Ondine. Mort de G. Pitoëff et de Ch. Du Bos.	L'Allemagne envahit la Pologne; début de la Seconde Guerre mondiale. Victoire de Franco en Espagne.
1940	La Machine à écrire.	R. Martin du Gard : Épilogue des Thibault. Aragon : le Crève-Cœur.	Invasion de la France; armistice; le gouvernement de Vichy.
1942	L'Eternel Retour.	A. Camus : l'Étranger, le Mythe de Sisyphe. J. Anouilh : Eurydice. H. de Montherlant : la Reine morte.	Débarquement allié en Afrique du Nord. Offensive russe. La charte de l'Atlantique. Procès de Riom.
1944	J. Cocteau termine Léone.	P. Valéry : Mon Faust. H. Michaux : l'Espace du dedans. J.-P. Sartre : Huis clos. J. Anouilh : Antigone. Mort de Giraudoux, de Saint-Exupéry.	Débarquement allié en Normandie. Libération de la France.
1945	La Belle et la Bête.	J. Gracq : le Château d'Argol. A. Camus : Caligula. M. Carné : les Enfants du Paradis (film). Mort de P. Valéry et de R. Desnos.	Capitulation allemande. Bombe atomique sur Hiroshima, capitulation du Japon. Gouvernement de Gaulle. A. Malraux, ministre de l'Information.
1946	L'Aigle à deux têtes. La Difficulté d'être. La Crucifixion.	J. Anouilh : Roméo et Jeannette. J. Prévert : Paroles.	Constitution de la IVe République et démission du général de Gaulle.
1947	Le film d'Orphée.	J. Romains : dernier volume des Hommes de bonne volonté. A. Camus : la Peste. H. de Montherlant : le Maître de Santiago. A Gide prix Nobel. Mort de Ramuz.	Vincent Auriol élu président de la République, le plan Marshall.
1949	Lettre aux Américains, composée en avion, au-dessus de l'Atlantique.	S. de Beauvoir : le Deuxième Sexe. R. Merle : Week-end à Zuydcoote. Mort de J. Copeau, de Ch. Dullin et de Christian Bérard.	Victoire de Mao Tse-toung en Chine.

1951	Bacchus. Querelle Mauriac-Cocteau.	A. Malraux : *les Voix du silence.* M. Druon : *les Grandes Familles.* J. Gracq : *le Rivage des Syrtes.* J.-P. Sartre : *le Diable et le Bon Dieu.* Mort d'Alain, de Gide et de Jouvet.	La guerre de Corée. Traité de paix avec le Japon.
1952	*Journal d'un inconnu. Le Chiffre sept.*	A. Maurois : *Lélia ou la Vie de G. Sand.* B. Beck : *Léon Morin, prêtre.* Ch. Chaplin: *Limelight.* F. Mauriac prix Nobel. Mort de G. Baty, de C. Plisnier et de P. Éluard.	Mort du roi George VI. Eisenhower élu président des États-Unis.
1953	*Clair-Obscur. La Corrida du premier mai.*	P. Gascar : *les Bêtes.* J. Anouilh : *l'Alouette.* Mort de Colette et de R. Dufy.	Couronnement d'Élisabeth II. Mort de Staline. Armistice en Corée.
1955	Jean Cocteau est élu à l'Académie française et à l'Académie royale de Belgique.	A. Robbe-Grillet : *le Voyeur.* Mort d'A. Honegger.	Conférence de Genève entre les 4 Grands. Chute de Mendès-France.
1956	*Docteur honoris causa* de l'Université d'Oxford.	F. Sagan : *Un certain sourire.* A. Malraux : *la Métamorphose des dieux.* Mort de G. Charpentier, de M. Utrillo. de P. Léautaud et de B. Brecht.	Mort de Pie XII. Réélection du président Eisenhower. Révolte en Hongrie. Indépendance du Maroc et de la Tunisie. Affaire de Suez.
1958	Il décore la chapelle Saint-Pierre à Villefranche-sur-Mer.	L. Aragon : *la Semaine sainte.* J. Giono: *Angelo.* M. Pagnol : *le Château de ma mère.* R. Merle : *On ne meurt plus à Corinthe.* Mort de R. Martin du Gard et de F. Carco, de Rouault et de Vlaminck.	Le 13 mai, fin de la IVe République. Des satellites artificiels russes et américains dans l'espace.
1959	Il décore la chapelle de Milly-la-Forêt. *Le Testament d'Orphée* (film). Son 70e anniversaire : le 5 juillet.	J. Anouilh : *Becket ou l'Honneur de Dieu.* J.-P. Sartre : *les Séquestrés d'Altona.* Mort de R. Arcos, de R. Kemp et de Gérard Philipe.	La Ve République. Charles de Gaulle est élu président. M. Debré Premier ministre.
1963	Mort de Jean Cocteau à Milly-la-Forêt (11 octobre).	A. Pieyre de Mandiargues : *la Motocyclette.* E. Ionesco: *le Piéton de l'air.* N. Sarraute : *les Fruits d'or.*	Assassinat de J. F. Kennedy.

RÉSUMÉ CHRONOLOGIQUE DE LA VIE DE JEAN COCTEAU

1889 (5 juillet). — Naissance de Jean Cocteau à Maisons-Laffitte (S.-et-O.).

1899-1905. — Études au lycée Condorcet, à Paris.

1908 (4 avril). — Matinée poétique organisée par De Max ; on lit les premières œuvres de Cocteau. Le poète fréquente les milieux littéraires de la capitale (M. Proust, E. Rostand, Anna de Noailles, A.-Fournier, Ch. Péguy et F. Mauriac).

1912. — Rencontre avec Gide et Ghéon, avec Diaghilev et Stravinsky.

1913 (29 mai). — Première du *Sacre du printemps*, Cocteau prend le parti de Stravinsky contre la foule et la critique. Il termine le roman *le Potomak*.

1915. — Réformé, il gagne le front à titre d'ambulancier civil et échappe de près à la mort. Premier recueil de poésies, *le Cap de Bonne-Espérance*.

1916. — Premiers dessins, signés « Jim », fait partie d'un groupe avec les poètes Apollinaire, Max Jacob, Reverdy, Salmon et Cendrars, les peintres Modigliani et Picasso.

1917. — Le ballet *Parade*, conçu avec Erik Satie, fait scandale au Châtelet.

1919. — Cocteau assure la chronique artistique de *Paris-Midi* et rencontre Radiguet.

1920 (21 février). — *Le Bœuf sur le toit*.

1921 (18 juin). — Première de la pièce *les Mariés de la tour Eiffel*, qui scandalise même les modernistes. Critique : *le Secret professionnel*.

1922. — *Le Grand Écart, Plain-Chant, Thomas l'Imposteur*.

1923. — Période de dépression, après la mort de Radiguet. Recourt à l'opium.

1925. — Cure de désintoxication. Rencontre avec Christian Bérard. Poèmes d'*Opéra*, *l'Ange Heurtebise*. Correspondance avec le philosophe Jacques Maritain.

1926 (17 juin). — Première d'*Orphée*.

1929. — *La Voix humaine* à la Comédie-Française. *Opium* (texte et dessins). *Les Enfants terribles*.

1931. — *Le Sang d'un poète* (film).

1932. — *La Machine infernale. Essai de critique indirecte.*

1933. — Il termine *les Chevaliers de la Table ronde* en Suisse.

1934. — Articles du Figaro, *Portraits-Souvenirs*. Première de *la Machine infernale*.

1936. — Cocteau effectue, à la suite d'un pari, le tour du monde en quatre-vingts jours.

1937. — Il aide un boxeur, Al Brown, à reconquérir le titre de champion du monde.

1938. — *Les Parents terribles*, pièce jugée scandaleuse par le Conseil municipal de Paris et qui va connaître le plus grand succès.

1939. — *La Fin du Potomak*. Cocteau écrit pour Yvonne de Bray *les Monstres sacrés*.

1941. — *La Machine à écrire* et *les Parents terribles* sont interdits. Cocteau est malmené par des fascistes français. Il écrit *Renaud et Armide*.

1942. — *L'Éternel Retour* (film).

1945. — *La Belle et la Bête.*

1946. — *L'Aigle à deux têtes. La Difficulté d'être. La Crucifixion.*

1947. — Il crée trois films : *Orphée. Ruy Blas. Les Parents terribles.*

1948. — *Judith et Holopherne*, cartons pour une tapisserie (Aubusson).

1950. — Décore à Saint-Jean-Cap-Ferrat la villa Santo Sospir.

1951. — Écrit une pièce qui fait scandale, *Bacchus* : controverse avec François Mauriac. *Entretiens autour du cinématographe.*

1952. — *Journal d'un inconnu. Le Chiffre sept.*

1953. — *Clair-Obscur*. Rédige *la Corrida du premier mai.*

1955. — Élu à l'Académie royale de Belgique et à l'Académie française.

1957. — *Le Jeune Homme et la Mort* (ballet). *La Dame à la licorne* (ballet). *L'Épouse injustement soupçonnée* (théâtre).

1958. — Il décore la chapelle Saint-Pierre à Villefranche-sur-Mer. *Phèdre* (ballet).

1959. — Il décore la chapelle de Milly-la-Forêt (S.-et-O.). *Le Testament d'Orphée* (film).

1960. — Il décore l'église de Notre-Dame-de-France, à Londres.

1962. — *Le Requiem*, poèmes.

1963 (11 octobre). — Mort de Jean Cocteau à Milly-la-Forêt.

Jean Cocteau était né vingt et un ans après P. Claudel, vingt ans après A. Gide, dix-huit ans après P. Valéry, seize ans après Ch. Péguy et Colette, sept ans après J. Giraudoux, et quatre ans après F. Mauriac. Il avait sept ans de plus qu'H. de Montherlant, huit ans de plus que L. Aragon, douze ans de plus qu'A. Malraux, seize ans de plus que J.-P. Sartre.

JEAN COCTEAU

Jean Cocteau s'est illustré dans tous les genres, du ballet au roman policier, de la peinture au cinéma.

Un dilettante ? Non. Dans chacun des nombreux modes d'expression qu'il a choisis, le poète a produit des œuvres qui — à l'exclusion de toutes les autres — auraient suffi à lui faire conquérir la célébrité. De plus, il importe de noter que cette étonnante variété n'est pas un éparpillement dans lequel les forces vives de l'artiste se seraient usées.

Il s'agit en effet de multiples transcriptions d'une vérité profonde, unique, la *poésie*, ou, pour être plus précis, la *vision poétique* de l'univers. Jamais homme n'avait cerné plus étroitement le problème : « La poésie est une science exacte. Ceux qui s'imaginent que c'est un désordre, une certaine manière d'employer la langue, se trompent. Ils ne parviendront qu'à vêtir la prose en robe du soir[1]. » La bibliographie des œuvres de Cocteau, où chaque genre apparaît comme le complément du nom *poésie*, est une transcription fidèle de la réalité.

Cette réalité recèle d'ailleurs des richesses ignorées que Jean Cocteau, « voyant » comme tous les vrais poètes, révèle à nos regards éblouis. On lui doit un système de correspondances qui va bien au-delà de la perspective baudelairienne, car il comporte, en soi, une clef esthétique du monde : « Une œuvre d'art doit satisfaire toutes les muses. C'est ce que j'appelle : preuve[2] par 9. » Dans une telle pensée — si caractéristique et d'un humour inquiétant pour l'ordre traditionnel —, les gens graves et timorés ne considèrent que la seconde partie et la ravalent à une vulgaire pirouette spirituelle, à un tour mental d'histrion. Ils n'ont vu, les malheureux, que la surface, mais leur vrai dépit provient du fait qu'ils sentent que cette surface cache une signification profonde qui leur est inaccessible. « Je suis un mensonge qui dit toujours la vérité », leur a répondu d'avance le poète.

Comme La Fontaine, comme Rimbaud et comme Giraudoux, Jean Cocteau est un auteur en marge : il n'a pas eu de précurseurs, il n'a pas de disciples, et le monde, qui aime bien tout classer par catégories, a du mal à accepter cet état de choses. Avec l'esprit déconcertant qui le caractérise, le poète rétorque : « L'on m'accuse d'avoir, dans ma vie, joué au seul paradoxe. C'est faux... Le paradoxe n'existe pas, il n'y a que la vérité. Seulement ils ne l'acceptent pas, alors ils veulent croire à un jeu[3]. » Mais nous remarquerons

---

1. J. Cocteau, *Lettre-Préface aux meilleurs poèmes anglais et américains d'aujourd'hui*, anthologie bilingue de Paul Ginestier (S. E. D. E. S., Paris, 1958); **2.** J. Cocteau, *le Coq et l'Arlequin* (la Sirène, Paris, 1918); **3.** Interviews de presse à l'occasion de son soixante-dixième anniversaire.

que ce « jeu » les intéresse suprêmement : alors que Jean Cocteau ne tourna *le Sang d'un poète* que pour une dizaine de personnes au maximum, le film passe vingt ans dans une salle de New York avec le même succès. *La Machine infernale* attira autant les foules en 1954 qu'en 1934. Ces succès, toujours trouvés sans avoir été cherchés, jalonnent la carrière de Jean Cocteau. Mais le fait est particulièrement frappant dans les arts du spectacle. Ce n'est pas une simple coïncidence, car ceux-ci doivent être poétiques pour exister, et la remarque de P.-A. Touchard vaut pour tous : « Au fond, il n'y a qu'un théâtre, le théâtre poétique[1]. »

Dans *la Machine infernale* triomphe une harmonie totale et, par là même, inquiétante. Ces quatre tableaux nous montrent l'inexorable fatalité en marche, toile de fond tragique sur laquelle se profilent, inconscients de l'ombre qu'ils projettent, les personnages. Chacun d'entre eux peut ainsi se présenter à nous avec sa vérité humaine de tous les jours, plus ou moins grotesque dans ses faiblesses et dans ses illusions, tout en construisant devant nous sa vérité sublime et effrayante, celle du destin. Cette duplication est notre histoire à tous : nous avons tous reçu, au jour de notre naissance, une « machine infernale » qui va exploser à un moment donné, que nous ignorons, pour nous projeter dans l'éternité, cette éternité qui va nous donner notre vrai visage, celui que nos successeurs vont nous modeler : « L'histoire est du *vrai* qui devient *faux* à la longue (et de bouche en bouche) alors que la légende est du faux qui, à la longue, devient véritable[2]. »

Comme tous les chefs-d'œuvre, *la Machine infernale* est une transcendance sur tous les plans — du plus « terre à terre » au plus élevé, qu'il s'agisse du jeune soldat dont Jocaste tâte le biceps ou de la Némésis qui est fatiguée du destin et donne la clef de l'énigme à Œdipe —, et cette transcendance est l'essence de la poésie, dont les racines plongent dans l'inconnu :

> Accident du mystère et faute de calculs
> Célestes, j'ai profité d'eux je l'avoue.
> Toute ma poésie est là : je décalque
> L'invisible (invisible à vous)[3].

1. *Dionysos, apologie pour le théâtre* (le Seuil, Paris, 1955); **2.** J. Cocteau, *Préface* à l'édition anglaise de *la Machine infernale* (Harrap, Londres, 1958); **3.** J. Cocteau, *Opéra* (Stock, Paris, 1927).

BIBLIOGRAPHIE

I. *PRINCIPALES ŒUVRES DE JEAN COCTEAU* :

POÉSIE

Opéra [*Œuvres poétiques 1925-1927*] (Paris, Stock, 1927).
Morceaux choisis, Poèmes (Paris, Gallimard, 1932).
Allégories (Paris, Gallimard, 1941).
Choix de poèmes, précédé d'une étude par R. Lannes (Paris, Seghers, coll. « Poètes d'aujourd'hui », 1945).
Anthologie poétique (Paris, Club français du livre, 1951).
Le Chiffre sept (Paris, Seghers, 1952).
Appogiatures (Monaco, Éd. du Rocher, 1953).
Clair-Obscur (Monaco, Éd. du Rocher, 1954).
Poèmes 1916-1955 (Paris, Gallimard, 1956).
Le Requiem (Paris, Gallimard, 1962).

DISQUES : Poèmes de J. Cocteau, dits par l'auteur (la Voix de son maître) — dits par J. Mercure (Véga).

POÉSIE DE ROMAN

Le Potomak (1916; texte définitif, Paris, Stock, 1924).
Thomas l'Imposteur (Paris, Gallimard, 1923).
Le Grand Écart (Paris, Stock, 1923).
Les Enfants terribles (Paris, Grasset, 1929).
La Fin du Potomak (Paris, Gallimard, 1939).

POÉSIE DE THÉÂTRE

Orphée (Paris, Stock, 1927).
Œdipe roi — Roméo et Juliette (Paris, Plon, 1928).
La Voix humaine (Paris, Stock, 1930).
La Machine infernale (Paris, Grasset, 1934).
Théâtre. I : Antigone ; les Mariés de la tour Eiffel ; les Chevaliers de la Table ronde ; les Parents terribles. — II : les Monstres sacrés ; la Machine à écrire ; Renaud et Armide ; l'Aigle à deux têtes (Paris, Gallimard, 1948).
Théâtre de poche (Monaco, Éd. du Rocher, 1949).
Bacchus (Paris, Gallimard, 1952).
Théâtre, tomes I et II. Cette édition comprend également : *Théâtre de poche; L'Épouse injustement soupçonnée; Arguments scéniques et chorégraphiques : Œdipus Rex, le Jeune Homme et la Mort; la Dame à la licorne* (Paris, Grasset, 1957).

DISQUES : *La Voix humaine* (Columbia) ; *Anna la Bonne* (Columbia); *la Scène du Sphinx de « la Machine infernale »* (Ultraphone).

POÉSIE CRITIQUE

Le Rappel à l'ordre (Paris, Stock, 1926).
Lettre à Jacques Maritain (Paris, Stock, 1926).
Opium (Paris, Stock, 1930).
Essai de critique indirecte. Le Mystère laïc (Paris, Grasset, 1932).
Portraits-Souvenirs (Paris, Grasset, 1935).
Mon premier voyage. Tour du monde en quatre-vingts jours (Paris, Gallimard, 1937).
La Belle et la Bête, journal d'un film (Paris, J.-B. Janin, 1946).
Le Foyer des artistes (Paris, Plon, 1947).
La Difficulté d'être (Monaco, Éd. du Rocher, 1947).
Reines de la France (Paris, Grasset, 1948).
Lettre aux Américains (Paris, Grasset, 1949).
Maalesh. Journal d'une tournée de théâtre (Paris, Gallimard, 1949).
Modigliani (Paris, Hasan, 1950).
Jean Marais (Paris, Calmann-Lévy, 1951).
Journal d'un inconnu (Paris, Grasset, 1952).
Gide vivant (Paris, Amiot-Dumont, 1952).
Colette (Paris, Grasset, 1955).
Discours de réception à l'Académie française (Paris, Gallimard, 1955).
Le Discours d'Oxford (Paris, Gallimard, 1956).
La Corrida du premier mai (Paris, Grasset, 1957.)
Poésie critique, tomes I et II (Paris, Gallimard, 1959-1960).

POÉSIE CINÉMATOGRAPHIQUE (FILMS)

Le Sang d'un poète (1932).
L'Éternel Retour (1943).
La Belle et la Bête (1945).
L'Aigle à deux têtes; la Voix humaine [avec R. Rossellini] (1946).
Ruy Blas (1947).
Les Parents terribles (1948).
Orphée (1949).
Le Testament d'Orphée (1959).
Entretiens autour du cinématographe, recueillis par A. Fraigneau (Paris, A. Bonne, 1951).

POÉSIE GRAPHIQUE

Dessins (Paris, Stock, 1923).
Le Mystère de Jean l'Oiseleur (Paris, Champion, 1925).
Maison de santé (Paris, Briant Robert, 1926).
Soixante Dessins pour «les Enfants terribles» (Paris, Grasset, 1934).
Drôle de ménage (Monaco, Éd. du Rocher, 1941).

Décoration des chapelles de Villefranche-sur-Mer, de Milly-la-Forêt et de Notre-Dame-de-France à Londres.

Illustrations de *Thomas l'Imposteur, la Machine infernale, Léone*, etc.

EN COLLABORATION AVEC DES MUSICIENS

Parade (avec Érik Satie).
Le Bœuf sur le toit (avec Darius Milhaud).
Les Mariés de la tour Eiffel (Groupe des Six).
Le Pauvre Matelot (avec Darius Milhaud).
Antigone (avec Arthur Honegger).
Œdipus Rex (avec Igor Stravinsky).
Phèdre (avec Georges Auric).

II. *OUVRAGES CRITIQUES* :

PRINCIPALES ÉTUDES SUR JEAN COCTEAU

Claude MAURIAC, *Jean Cocteau ou la Vérité du mensonge* (Paris, O. Lieutier, 1945).
(SYMPOSIUM), *Jean Cocteau. Sa vie, son œuvre, son influence* (Bruxelles, L'Écran du monde, 1950).
André FRAIGNEAU, *Jean Cocteau par lui-même*, collection *Écrivains de toujours* (Paris, Éd. du Seuil, 1957).
René GILSON, *Jean Cocteau* (Paris, P. Seghers, « Cinéma d'aujourd'hui », 1964).
Gérard MOURGUE, *Cocteau* (Paris, Éd. universitaires, « Classiques du XXᵉ siècle », 1965).
Jacques BROSSE, *Cocteau* (Paris, Gallimard, 1970).
Pierre CHANEL, *Cocteau et les mythes* (Paris, Lettres modernes, 1972). — *Jean Cocteau, poète graphique* (Paris, Éd. du Chêne, 1975).
Francis STEEGMULLER, *Cocteau* (Paris, Buchet-Chastel, 1973).

Cahiers Jean Cocteau (I-IX ; Paris, Gallimard, 1970-1981).

QUELQUES ÉTUDES SUR LE THÉÂTRE DU XXᵉ SIÈCLE

Jean VILAR, *De la Tradition théâtrale* (Paris, l'Arche, 1957, nouv. éd. Gallimard, 1963).
Henri GOUHIER, *l'Œuvre théâtrale* (Paris, Flammarion, 1958).
Étienne SOURIAU, *les Grands Problèmes de l'esthétique théâtrale* (C. D. U., 1958).
Jean-Louis BARRAULT, *Nouvelles Réflexions sur le théâtre* (Paris, Flammarion, 1959).
Gabriel MARCEL, *l'Œuvre théâtrale, de Giraudoux à Sartre* (Paris, Plon, 1960).
Jean DUVIGNAUD, *Sociologie du théâtre, essai sur les ombres collectives* (Paris, P. U. F., 1965).
Jean DUVIGNAUD et J. LAGOUTTE, *le Théâtre contemporain. Culture de contre-culture* (Paris, Larousse, 1975).
Anne LEBERSFELD, *Lire de théâtre* (Paris, Éd. sociales, 1977-1981 ; 2 vol.).

Jean Cocteau par lui-même.

CONSEIL À LA JEUNESSE

Voilà bien des années que je travaille endormi debout, au milieu du terrible désordre des villes et des époques. J'ai maintenant la certitude que l'âme *s'exprime dans l'ombre et le silence*. Le personnage légendaire et absurde qu'on nous invente nous protège, on le pousse de force sur l'estrade de l'actualité. Il s'y repose à notre place et reçoit les coups qu'on nous destine.

Mon conseil à la jeunesse est de vivre entre chien et loup.

Jean Cocteau

31 octobre 1959.

LA MACHINE INFERNALE

1934

NOTICE

Ce qui se passait en 1934. — EN POLITIQUE. *En France. Le scandale financier appelé l' « affaire Stavisky » provoque une émeute le 6 février ; le ministère Daladier est renversé et remplacé par un cabinet d'union nationale présidé par Doumergue. La gauche menacée regroupe ses forces pour la défense de la République, et les ligues fascistes redoublent d'activité sous des appellations diverses : Action française, Croix de feu, Francistes.*

Dans les démocraties occidentales. Depuis 1929, crise de chômage et dépression économique. Avec le ministère J. R. MacDonald, la Grande-Bretagne abandonne l'étalon-or et le libre-échange (1931), s'orientant vers un protectionnisme impérial. Aux États-Unis, la même crise provoque un moratoire des banques et l'abandon de l'étalon-or ; F. D. Roosevelt, élu président en 1932, inaugure la politique économique du New Deal. En Belgique, le roi Léopold III succède à son père, Albert Ier.

Dans les dictatures. En Allemagne, les S. A. (Sections d'assaut) font un putsch qui consolide le pouvoir des nazis (30 juin), le vieux président Hindenburg meurt (Ier août), Adolf Hitler, déjà chancelier, prend le titre de Reichsführer et installe une dictature totale (Front allemand du travail). En Autriche, le chancelier Dollfuss est assassiné par les nazis : c'est le premier acte qui annonce l'annexion de l'Autriche. En Italie, la dictature fasciste s'appesantit aussi par l'instauration du régime des corporations (5 février). L'entrevue Hitler-Mussolini du 14 et du 15 juin lie le sort des deux dictatures. Le roi Alexandre Ier de Yougoslavie et le ministre français des Affaires étrangères, Louis Barthou, sont assassinés à Marseille par un oustachi croate. La dictature s'installe en Bulgarie.

En U. R. S. S. Le second plan quinquennal, commencé en 1933, échoue complètement dans le domaine de l'agriculture, Staline assure son pouvoir, et un de ses rivaux, Kirov, meurt mystérieusement.

En Extrême-Orient. Ayant occupé la Mandchourie et le Jéhol, le Japon poursuit son expansion en Chine et dénonce le pacte de Washington avec les Etats-Unis. Ceux-ci donnent aux Philippines leur autonomie interne et promettent l'indépendance pour 1946. Politique internationale. Une série d'incidents provoqués par les fascistes laissent présager une agression italienne contre l'Ethiopie et une agression allemande contre l'Autriche. L'Allemagne signe un pacte de non-agression avec la Pologne. L'U. R. S. S entre à la

S. D. N., *que le Japon et l'Allemagne ont quittée un an auparavant.*

EN LITTÉRATURE. *Roman* : *A. Chamson*, l'Année des vaincus. *J. Chardonne*, premier volume de la trilogie les Destinées sentimentales. *Colette*, Duo. *M. Jouhandeau*, Chaminadour. *J. Romains*, volumes *VII et VIII des* Hommes de bonne volonté. *R. Vercel*, Capitaine Conan.

Contes : *M. Aymé*, Contes du Chat perché.

Poésie : *Aragon*, Hourra l'Oural. *P. Eluard*, la Rose publique. *P.-J. Jouve*, Sueur de sang.

Théâtre : *J. Deval*, Tovaritch. *E. Bourdet*, les Temps difficiles. *A. Salacrou*, Une femme libre. *J. Giraudoux*, Tessa. *Louis Jouvet s'installe au théâtre de l'Athénée.*

Cinéma : Maria Chapdelaine, *film de J. Duvivier avec Madeleine Renaud.* Le Dernier Milliardaire, *film de René Clair. Mort de Jean Vigo après* l'Atalante. *Epstein*, l'Or des mers.

Essais et critique : *Alain*, les Dieux. *Bachelard*, le Nouvel Esprit scientifique. *H. Bergson*, la Pensée et le Mouvant. *Bayer*, l'Esthétique de la grâce. *G. Duhamel*, Discours aux nuages *et* Remarques sur les Mémoires imaginaires.

EN PEINTURE. *M. Chagall*, la Chaise de la mariée. *Picasso, période surréaliste (1929-1935). G. Rouault*, le Cirque de l'Étoile filante.

EN MUSIQUE. *Stravinsky est naturalisé français.*

EN SCULPTURE. *Maillol travaille au monument de Debussy à Saint-Germain-en-Laye.*

DANS LES SCIENCES. *Joliot-Curie réalise la radio-activité artificielle.*

La première représentation de « la Machine infernale ». — La première représentation de *la Machine infernale* eut lieu le 10 avril 1934 à la Comédie des Champs-Élysées, dirigée par Louis Jouvet. Ce fut un éclatant succès, qui consacra immédiatement la pièce et qui révéla au public Christian Bérard. Pendant quinze ans, ce décorateur allait avoir une influence déterminante sur l'esthétique de la représentation théâtrale; voici ses impressions devant le chef-d'œuvre de Jean Cocteau : « Pendant les premiers mois, Jouvet se taisait, me questionnait, me faisait travailler, et chaque mot qui sortait de sa bouche était légèrement désagréable. Je me disais : tiens bon, c'est la chance de ta vie, c'est l'homme de ta chance. J'étais éperdu d'admiration pour Jouvet, mais, après le travail, je pleurais parfois... Puis, tout à coup, j'ai senti que ça allait mieux et, lorsque *la Machine infernale* fut terminée, Jouvet m'offrit un merveilleux petit article dans le programme : nous étions amis; depuis lors, nous ne nous sommes plus quittés.

« Lorsque j'ai lu la pièce, ce qui m'intéresse d'abord, c'est l'architecture des situations, c'est-à-dire : par où les personnages vont-ils entrer, où vont-ils se rencontrer, où vont-ils se quitter ?

Je vois alors s'il faut surélever l'action, ou s'il faut la laisser en terrain plat. Donc, avant tout — avant d'imaginer le décor —, il faut s'occuper de son armature. [...] C'est seulement lorsqu'on a cette « ossature du décor » qu'on peut y mettre la chair, les objets. Tout en se conformant aux indications du metteur en scène ou de l'auteur qui disent : « une porte à droite, une fenêtre à gauche », il est possible de faire une porte surélevée ou abaissée, et c'est cela qui crée « l'atmosphère de la pièce ».

Christian Bérard réussit si bien dans cette création d'atmosphère, où les acteurs jouaient dans la lumière violette irréelle des lampes aux vapeurs de mercure, que le spectacle constitue un souvenir inoubliable pour tous ceux qui le virent et fut acclamé comme « une grande date dans l'histoire du théâtre de tous les temps[1] ».

Analyse de la pièce. ACTE PREMIER. — LE FANTÔME. — *Atmosphère :* Chaleur lourde et orageuse d'une nuit sillonnée d'éclairs. Au premier plan, les remparts de Thèbes, à un endroit où un égout dégage des odeurs pestilentielles ; en arrière-plan, des boîtes de nuit violemment éclairées, d'où provient une musique au rythme endiablé et pourtant angoissante.

Action : Le roi Laïus a été tué à un carrefour, son fantôme cherche désespérément à prévenir la reine qu'un effroyable danger la menace. Mais tous les efforts du malheureux spectre sont vains ; il manque son rendez-vous avec sa veuve Jocaste... Celle-ci rencontre, cependant, un jeune soldat qui ressemble étrangement au fils qu'elle n'a pas vu depuis qu'elle l'abandonna.

· ACTE II. — LA RENCONTRE D'ŒDIPE ET DU SPHINX. — *Atmosphère :* La campagne hors les murs de Thèbes, sur une éminence. Les spectateurs ont reçu le pouvoir surhumain de remonter le cours du temps, et l'acte commence au même moment que le précédent.

Action : Une matrone de Thèbes rencontre une jeune fille et lui parle des malheurs de la ville, ne sachant pas qu'elle s'adresse au Sphinx. Œdipe arrive en scène ; il fuit son pays natal pour empêcher l'oracle de s'accomplir. Le Sphinx est las de tuer, car sa forme humaine a repris le dessus, la jeune fille qu'elle incarne est tombée amoureuse d'Œdipe : pour sauver le héros, elle lui dit d'avance la réponse à l'énigme. Œdipe triomphe donc de l'épreuve : par là, et sans le savoir, il noue son destin, destin plus effroyable que celui que la Némésis voulait lui épargner.

ACTE III. — LA NUIT DE NOCES. — *Atmosphère :* L'orage gronde et la chaleur est étouffante, et, dans la chambre rouge comme une boucherie, Œdipe et Jocaste portent leurs lourds vêtements d'apparat. Les héros se meuvent au ralenti entre le berceau d'Œdipe enfant et le lit conjugal de Jocaste-Laïus (symboles des objets).

1. Pierre Dubourg, *Dramaturgie de Jean Cocteau* (Grasset, Paris, 1954).

Action : C'est la nuit de noces du fils et de la mère, et, là encore, le Destin joue avec les pauvres humains. Les avertissements de Tirésias sont dénués de sens pour Œdipe, mais la peur triomphe... Œdipe rêve de son entrevue avec le Sphinx, alors que la reine est en proie à un horrible cauchemar. A l'aube, tout est consommé, les coqs chantent, Œdipe dort, la tête sur le berceau que Jocaste remue d'un geste lent et mécanique. Un ivrogne chante un couplet satirique sur la différence d'âge entre le roi et la reine. Il est chassé par le jeune soldat, celui du premier acte...

Acte IV. — Œdipe roi. — *Atmosphère :* La peste décime Thèbes. Depuis dix-sept ans qu'ils règnent, Œdipe et Jocaste ont eu deux garçons, Étéocle et Polynice, et deux filles, Ismène et Antigone. L'irréparable a été totalement accompli, et les conséquences se manifestent implacablement.

Action : La machine infernale explose. Jocaste et Œdipe comprennent : elle se pend avec son écharpe, il s'aveugle avec la broche de la reine.

Jocaste morte alors réapparaît : son fantôme est celui de la mère d'Œdipe, et elle conduit son fils vers la gloire, en s'incarnant dans Antigone.

« La Machine infernale » et l'histoire littéraire. — Le premier texte littéraire qui relate la légende d'Œdipe est, selon la tradition, une œuvre du Cinéthon, qui vivait à Lacédémone au VIIIe s. av. J.-C.; ce poème cyclique, intitulé l'*Œdipodie*, est aujourd'hui perdu.

Ce récit a inspiré, dès l'Antiquité, de nombreuses adaptations théâtrales : les plus célèbres sont une trilogie d'Eschyle (dont subsiste seule la tragédie des *Sept contre Thèbes*), deux tragédies de Sophocle, *Œdipe roi* et *Œdipe à Colone*, les *Phéniciennes* d'Euripide, et, à Rome, une tragédie de Sénèque appelée *Œdipe*. Dans la littérature française, la légende a été souvent reprise, notamment par P. Corneille (*Œdipe*, 1659) et par Voltaire (*Œdipe*, 1718). Quant à J. Cocteau, il avait d'abord traduit l'*Œdipe roi*[1] de Sophocle; cinq ans après, Gide écrivit son *Œdipe* (1932), au moment où Cocteau concevait, dans un esprit tout différent, *la Machine infernale.*

En fait, c'est surtout l'*Œdipe roi* de Sophocle qui servit de modèle aux pièces postérieures, puisqu'il représente le moment le plus tragique de la destinée du héros. Le chef-d'œuvre du dramaturge grec s'ouvre sur une scène où le chœur des sages de Thèbes supplie le roi Œdipe d'intervenir pour faire cesser la peste qui décime la population de la ville. Œdipe répond qu'il a déjà envoyé son beau-frère Créon à Delphes pour consulter la Pythie. Celui-ci revient : « La peste durera tant que le meurtrier

---

1. Retraduit en latin par J. Daniélou, ce texte servira de livret à l'opéra-oratorio dont Igor Stravinsky écrira la musique, *Œdipus rex* (1927).

de Laïus n'aura pas été châtié. » Œdipe maudit le criminel et ouvre une enquête afin de le retrouver. Au cours de cette enquête, il interroge Tirésias, puis un vieux serviteur, puis un messager de Corinthe, qui annonce la mort du roi Polybe, père adoptif d'Œdipe, puis Jocaste... Peu à peu la vérité se révèle, et Œdipe comprend qu'il est le meurtrier de Laïus, qu'il a tué son père et épousé sa mère. Jocaste se pend. Œdipe se crève les yeux et se condamne à l'exil. La suite de la légende sera reprise par Sophocle dans *Œdipe à Colone.* Conduit par sa fille Antigone, Œdipe errant trouve enfin un refuge dans le bois des Erinyes, proche d'Athènes.

Dans *la Machine infernale*, c'est seulement à l'acte IV qu'apparaît le thème d'*Œdipe roi;* les trois premiers actes se nourrissent des épisodes antérieurs de la légende, généralement dédaignés jusque-là par les dramaturges. Mais ce n'est pas seulement par cet élargissement du sujet que J. Cocteau a renouvelé le drame d'Œdipe. Le grand apport du poète contemporain, c'est d'être parvenu, sans modifier les données du mythe, à en extraire, pour la première fois, la quintessence. Le point culminant de la tragédie est le dénouement, où nous voyons Antigone apparaître comme la réincarnation, purifiée par une sublime catharsis, de Jocaste. A cela s'ajoute le fait qu'Œdipe lui-même est purifié parce qu'il mène son enquête non pour des raisons politiques, mais simplement parce qu'il est de « ceux qui posent des questions jusqu'au bout[1] », simplement parce que c'est son destin.

En contrepoint viennent d'autres emprunts, dont le plus caractéristique est le démarquage d'un épisode d'*Hamlet :* la pièce de Shakespeare commence, elle aussi, par un message que le fantôme d'un souverain assassiné adresse des sommets embrumés d'un rempart — message qui va fixer aussi le destin du héros. Par là, Cocteau a voulu allier la tragédie antique et le drame élisabéthain, unissant les deux traditions les plus prestigieuses du théâtre pour donner une âme moderne à *la Machine infernale.*

L'essence de la tragédie. — La pièce est moins faite de psychologie que de thèmes poétiques, la poésie rejoignant chez Cocteau la métaphysique.

Le *thème du destin :* c'est la pierre angulaire de l'action. Ce thème soulève les problèmes éternels du libre arbitre et du déterminisme psychologique. La solution que nous propose le poète est intéressante : il nous montre comment, peu à peu, chacun des héros se moule dans sa propre légende. On a l'impression que les personnages sont mus par une mystérieuse cause finale et que leur liberté consiste justement à jouer le rôle qui leur fut assigné de toute éternité.

---

1. Jean Anouilh, *Antigone.*

Nous sommes rendus particulièrement conscients de cette réalité par le fait que les deux premiers actes viennent, à cause de leur simultanéité, se superposer dans notre esprit. Or les images de ces actes ont un point commun, la projection du destin par l'irréel (le fantôme de Laïus pour l'acte I, l'apparition de la Némésis pour l'acte II).

Ainsi, lorsque nous nous trouvons au rendez-vous de l'acte III — celui de la consommation du destin —, nous y reconnaissons d'emblée l'intervention des puissances mystérieuses. Il n'y a plus alors qu'à suivre l'implacable ligne droite qui traverse les dix-sept années du règne d'Œdipe pour aboutir, avec une précision mécanique, à l'effrayante rétribution.

L'*évolution des personnages* est conditionnée par leur destin :

Jocaste, qui au premier acte est une vieille enfant gâtée, apparaît, au troisième, transformée par son amour et par son angoisse. Mais la Jocaste que nous retenons, celle qui entre dans l'éternité, est celle du dernier acte. Lavée par la mort du crime d'inceste, elle apparaît pure et belle dans tout le pathétique de sa souffrance.

Œdipe est caractérisé par son orgueil, mais à mesure que le destin s'appesantit sur lui, une transformation s'opère : l'orgueil-révolte devient l'orgueil-acceptation, et ainsi le héros s'exalte à l'intérieur même de la malédiction.

Tirésias, qui représente le pouvoir spirituel, et *Créon,* qui représente le pouvoir temporel, sont également dépassés par les événements lorsque les dieux ont décidé de participer eux-mêmes au drame.

Enfin, le personnage du *Sphinx* est hors de l'espace comme il est hors du temps. Il est à la fois le monstre de la légende grecque et le dieu de la mythologie égyptienne. Cet anachronisme voulu a pour but de montrer que les concepts métaphysiques, par lesquels les hommes se situent, n'ont pas de signification dans le monde des dieux. Aux questions : « Pourquoi le dieu des morts sous l'apparence que lui supposent les hommes crédules ? Pourquoi en Grèce un dieu d'Egypte ? » Anubis rétorque : « Je vous répondrai que la logique nous oblige, pour apparaître aux hommes, à prendre l'aspect sous lequel ils nous représentent; sinon ils ne verraient que du vide. Ensuite que l'Egypte, la Grèce, la mort, le passé, l'avenir n'ont pas de sens chez nous... » Ainsi on s'élève à un sommet d'où l'on nous fait sonder de vertigineux espaces : « Le mystère a ses mystères. Les dieux possèdent leurs dieux. Nous avons les nôtres. Ils ont les leurs. C'est ce qui s'appelle l'infini. »

Technique dramatique et littéraire. — Comme Ibsen et comme Tchékhov, Jean Cocteau introduit ici une technique impressionniste. Il accumule point à point des détails dont chacun ne semble avoir que peu d'importance en soi, mais se trouve valorisé, avec son aspect prémonitoire, soudainement au quatrième acte, lorsque le tableau se forme sous nos yeux et que le canevas s'éclaire. Par exemple, nous ne comprenons l'importance de l'épisode de l'écharpe, sur laquelle marchent Tirésias et le jeune soldat au premier acte, que plus tard, lorsque nous apprenons que Jocaste s'est pendue avec cet objet qui semblait lui en vouloir. A ce thème dramatique de la *strangulation* répond celui de la *cécité*, qui plongera Œdipe dans la même nuit que Tirésias. Ces thèmes sont les signes concrets d'une notion abstraite, celle du destin : « La foudre vise cet homme. »

Le poète emploie systématiquement le procédé de l'anachronisme, qu'il s'agisse du dialogue lui-même (emploi d'expressions populaires ou argotiques caractéristiques de notre époque) ou de certaines idées professées par les personnages (les idées politiques des fils de la matrone au début de l'acte II, la théorie d'Œdipe sur la nécessité de se déclasser, etc.). Ce procédé est commun à presque tous les auteurs modernes, lorsqu'ils transposent des thèmes antiques (par exemple J. Giraudoux dans *La guerre de Troie n'aura pas lieu, Electre* et *Amphitryon 38* ; A. Gide dans *Œdipe* ; J. Anouilh dans *Antigone* et *Médée* et aussi l'Américain O'Neill dans *Le deuil sied à Electre*). L'anachronisme permet en effet de renouveler la valeur temporelle du drame, cette seconde actualité ayant pour but moins de moderniser les personnages que d'annuler leur vérité historique ou légendaire et de situer ainsi l'action hors du temps.

Pour traduire cette valeur éternelle, le poète use de toutes les ressources de sa langue et parfois se sert de celle-ci pour souligner, par exemple dans une cascade de verbes, le prestige magique de certaines actions. L'expression va même parfois au-delà du nécessaire et ressortit au jeu verbal, mais cette exubérance de langage se justifie chez des héros qui appartiennent à une civilisation méditerranéenne. Le style frappe par son extrême variété : il va du dépouillé au précieux, de l'argotique au littéraire, mais toujours il nous éclaire des mille facettes du diamant de la poésie.

Les chiffres gras entre parenthèses renvoient aux questions placées à la fin du volume.

LE SPHINX (Lucienne Bogaert).

La Machine infernale au théâtre des Champs-Élysées (1934),
mise en scène de Louis Jouvet.

PERSONNAGES

ŒDIPE

ANUBIS

TIRÉSIAS

CRÉON

LE FANTÔME DE LAÏUS

LE JEUNE SOLDAT

LE SOLDAT

LE CHEF

LE MESSAGER DE CORINTHE

LE BERGER DE LAÏUS

UN PETIT GARÇON DU PEUPLE

LA VOIX

JOCASTE

LE SPHINX

LA MATRONE

ANTIGONE

UNE PETITE FILLE DU PEUPLE

LA MACHINE INFERNALE a été représentée pour la première fois au théâtre Louis-Jouvet (comédie des Champs-Elysées) le 10 avril 1934, avec les décors et les costumes de Christian Bérard.

Louis Jouvet interprétait le rôle du berger de Laïus; Pierre Renoir celui de Tirésias; Jean-Pierre Aumont celui d'Œdipe; Marthe Régnier celui de Jocaste et Lucienne Bogaert celui du Sphinx. Jean Cocteau lui-même était la Voix.

LA MACHINE INFERNALE

LA VOIX

« Il tuera son père. Il épousera sa mère. »

Pour déjouer cet oracle d'Apollon, Jocaste, reine de Thèbes, abandonne son fils, les pieds troués et liés, sur la montagne. Un berger de Corinthe trouve le nourrisson et le porte à Polybe. Polybe et Mérope, roi et reine de Corinthe, se lamentaient d'une couche stérile. L'enfant, respecté des ours et des louves, Œdipe, ou *Pieds percés*, leur tombe du ciel. Ils l'adoptent.

Jeune homme, Œdipe interroge l'oracle de Delphes. Le dieu parle : *Tu assassineras ton père et tu épouseras ta mère*. Donc il faut fuir Polybe et Mérope. La crainte du parricide et de l'inceste le jette vers son destin.

Un soir de voyage, au carrefour où les chemins de Delphes et de Daulie se croisent, il rencontre une escorte[1]. Un cheval le bouscule ; une dispute éclate ; un domestique le menace ; il riposte par un coup de bâton. Le coup se trompe d'adresse et assomme le maître. Ce vieillard mort est Laïus, roi de Thèbes. Et voici le parricide.

L'escorte craignant une embuscade a pris le large.

---

1. Œdipe voit l'*escorte*, mais celui qu'elle protège reste d'abord caché ; c'est le premier piège du destin. Tout ce début du prologue est conforme aux données de la légende, telle que Sophocle nous l'a transmise dans *Œdipe roi*.

Œdipe ne se doute de rien; il passe. Au reste, il est jeune, enthousiaste; il a vite oublié cet accident.

Pendant une de ses haltes, on lui raconte le fléau du Sphinx[1]. Le Sphinx, « la Jeune Fille ailée », « la Chienne qui chante », décime la jeunesse de Thèbes. Ce monstre pose une devinette et tue ceux qui ne la devinent pas. La reine Jocaste, veuve de Laïus, offre sa main et sa couronne au vainqueur du Sphinx.

Comme s'élancera le jeune Siegfried[2], Œdipe se hâte. La curiosité, l'ambition le dévorent. La rencontre a lieu. De quelle nature, cette rencontre ? Mystère. Toujours est-il que le jeune Œdipe entre à Thèbes en vainqueur et qu'il épouse la reine. Et voilà l'inceste.

Pour que les dieux s'amusent beaucoup, il importe que leur victime tombe de haut. Des années s'écoulent, prospères. Deux filles, deux fils, compliquent les noces monstrueuses. Le peuple aime son roi. Mais la peste éclate. Les dieux accusent un criminel anonyme d'infecter le pays et ils exigent qu'on le chasse. De recherche en recherche et comme enivré de malheur, Œdipe arrive au pied du mur. Le piège se ferme. Lumière est faite. Avec son écharpe rouge Jocaste se pend. Avec la broche d'or de la femme pendue, Œdipe se crève les yeux.

Regarde, spectateur, remontée à bloc, de telle sorte que le ressort se déroule avec lenteur tout le long d'une vie humaine, une des plus parfaites machines construites par les dieux infernaux pour l'anéantissement mathématique d'un mortel[3] (1).

1. *Sphinx* : mot transcrit du grec, qui signifie l'*étrangleur ;* mais en grec, le monstre que désigne ce nom est féminin : J. Cocteau s'est aussi souvenu de la métaphore des Grecs, « la vierge ailée », périphrase qui évitait de désigner directement le fléau. (Le désigner, c'était l'appeler); 2. *Siegfried* : héros de la vieille légende germanique des Niebelungen : il lutte contre le dragon qui garde le trésor des Niebelungen; 3. On rapprochera de ce prologue la lucide analyse de P. Corneille dans son *Discours sur le poème dramatique* (1660) : « Elle [la représentation d'Œdipe] y purgera la curiosité de savoir l'avenir, et nous empêchera d'avoir recours à des prédictions, qui ne servent à l'ordinaire qu'à nous faire choir dans le malheur qu'on nous prédit par les soins mêmes que nous prenons de l'éviter; puisqu'il est certain qu'il n'eût jamais tué son père, ni épousé sa mère, si son père et sa mère, à qui l'oracle avait prédit que cela arriverait, ne l'eussent point fait exposer de peur que cela n'arrivât. » La même idée inspire l'intervention du personnage appelé *le chœur* dans la tragédie d'*Antigone* (1944), de Jean Anouilh : « Et voilà. Maintenant le ressort est bandé. Cela n'a plus qu'à se dérouler tout seul. C'est cela qui est commode dans la tragédie, on donne un petit coup de pouce pour que cela démarre, rien [...] une question de trop qu'on se pose un soir... C'est tout. Après, on n'a qu'à laisser faire. On est tranquille. Cela roule tout seul. C'est minutieux, bien huilé depuis toujours. »

ACTE PREMIER

LE FANTÔME

Un chemin de ronde sur les remparts de Thèbes. Hautes murailles. Nuit d'orage. Eclairs de chaleur. On entend le tam-tam[1] et les musiques du quartier populaire.

LE JEUNE SOLDAT (2)

Ils s'amusent!

LE SOLDAT

Ils essayent.

LE JEUNE SOLDAT

Enfin, quoi, ils dansent toute la nuit.

LE SOLDAT

Ils ne peuvent pas dormir, alors, ils dansent.

LE JEUNE SOLDAT

C'est égal, ils se saoulent et ils font l'amour et ils passent la nuit dans les boîtes, pendant que je me promène de long en large avec toi. Eh bien, moi je n'en peux plus! Je n'en peux plus! Je n'en peux plus! Voilà, c'est simple, c'est clair : je n'en peux plus.

LE SOLDAT

Déserte.

LE JEUNE SOLDAT

Non, non. Ma décision est prise. Je vais m'inscrire pour aller au Sphinx!

LE SOLDAT

Pour quoi faire?

LE JEUNE SOLDAT

Comment pour quoi faire? Mais pour faire quelque chose! Pour en finir avec cet énervement, avec cette épouvantable inaction.

LE SOLDAT

Et la frousse?

---

1. *Tam-tam* : tambour nègre, évoquant ici la musique moderne et notamment le jazz.

LE JEUNE SOLDAT

Quelle frousse?

LE SOLDAT

La frousse quoi... la frousse! J'en ai vu de plus malins
que toi et de plus solides qui l'avaient, la frousse. A moins
que monsieur veuille abattre le Sphinx et gagner le gros lot.

LE JEUNE SOLDAT

Et pourquoi pas, après tout? Le seul rescapé du Sphinx
est devenu idiot, soit. Mais si ce qu'il radote était vrai.
Suppose qu'il s'agisse d'une devinette. Suppose que je
la devine. Suppose...

LE SOLDAT

Mais ma pauvre petite vache, est-ce que tu te rends bien
compte que des centaines et des centaines de types qui ont
été au stade et à l'école et tout, y ont laissé leur peau, et tu
voudrais, toi, toi pauvre petit soldat de deuxième classe...

LE JEUNE SOLDAT

J'irai! J'irai, parce que je ne peux plus compter les
pierres de ce mur, et entendre cette musique, et voir ta
vilaine gueule, et... *(Il trépigne.)*

LE SOLDAT

Bravo, héros! Je m'attendais à cette crise de nerfs. Je
la trouve plus sympathique. Allons... Allons... ne pleurons
plus... Calmons-nous... là, là, là...

LE JEUNE SOLDAT

Je te déteste!
*(Le Soldat cogne avec sa lance contre le mur derrière
le Jeune Soldat. Le Jeune Soldat s'immobilise.)*

LE SOLDAT

Qu'est-ce que tu as?

LE JEUNE SOLDAT

Tu n'as rien entendu?

LE SOLDAT

Non... Où?

LE JEUNE SOLDAT

Ah!... il me semblait... J'avais cru...

LE SOLDAT

Tu es vert... Qu'est-ce que tu as ?... Tu tournes de l'œil ?

LE JEUNE SOLDAT

C'est stupide... Il m'avait semblé entendre un coup. Je croyais que c'était lui !

LE SOLDAT

Le Sphinx ?

LE JEUNE SOLDAT

Non, lui, le spectre, le fantôme, quoi !

LE SOLDAT

Le fantôme ? Notre cher fantôme de Laïus ? Et c'est ça qui te retourne les tripes. Par exemple !

LE JEUNE SOLDAT

Excuse-moi.

LE SOLDAT

T'excuser, mon pauvre bleu[1] ? Tu n'es pas fou ! D'abord, il y a des chances pour qu'il ne s'amène plus après l'histoire d'hier, le fantôme. Et d'une. Ensuite, de quoi veux-tu que je t'excuse ? Un peu de franchise. Ce fantôme, il ne nous a guère fait peur. Si... Peut-être la première fois... Mais ensuite, hein ?... C'était un brave homme de fantôme, presque un camarade, une distraction. Alors, si l'idée de fantôme te fait sauter en l'air, c'est que tu es à cran, comme moi, comme tout le monde, riche ou pauvre à Thèbes, sauf quelques grosses légumes qui profitent de tout. La guerre c'est déjà pas drôle, mais crois-tu que c'est un sport que de se battre contre un ennemi qu'on ne connaît pas. On commence à en avoir soupé des oracles, des joyeuses victimes et des mères admirables. Crois-tu que je te taquinerais comme je te taquine, si je n'avais pas les nerfs à cran, et crois-tu que tu aurais des crises de larmes et crois-tu qu'ils se saouleraient et qu'ils danseraient là-bas ! Ils dormiraient sur les deux oreilles, et nous attendrions notre ami fantôme en jouant aux dés.

LE JEUNE SOLDAT

Dis donc...

LE SOLDAT

Eh bien ?...

1. *Un bleu :* en argot militaire, un jeune soldat.

LE JEUNE SOLDAT

Comment crois-tu qu'il est... le Sphinx?

LE SOLDAT

Laisse donc le Sphinx tranquille. Si je savais comment il est, je ne serais pas avec toi, de garde, cette nuit.

LE JEUNE SOLDAT

Il y en a qui prétendent qu'il n'est pas plus gros qu'un lièvre, et qu'il est craintif, et qu'il a une toute petite tête de femme. Moi, je crois qu'il a une tête et une poitrine de femme et qu'il couche avec les jeunes gens.

LE SOLDAT

Allons! Allons! Tiens-toi tranquille, et n'y pense plus.

LE JEUNE SOLDAT

Peut-être qu'il ne demande rien, qu'il ne vous touche même pas. On le rencontre, on le regarde et on meurt d'amour

LE SOLDAT

Il te manquait de tomber amoureux du fléau public. Du reste, le fléau public... entre nous, veux-tu savoir ce que j'en pense du fléau public?... C'est un vampire! Un simple vampire! Un bonhomme qui se cache et sur lequel la police n'arrive pas à mettre la main.

LE JEUNE SOLDAT

Un vampire à tête de femme?

LE SOLDAT

Oh! celui-là!... Non! Non! Non! Un vieux vampire, un vrai! Avec une barbe et des moustaches, et un ventre, et il vous suce le sang, et c'est pourquoi on rapporte aux familles des machabées[1] avec tous la même blessure, au même endroit: au cou! Et maintenant, vas-y voir si ça te chante (**3**).

LE JEUNE SOLDAT

Tu dis que...

---

1. *Machabée* ou *macchabée* : en argot des étudiants de médecine, un cadavre. Le mot vient sans doute du martyre des sept frères Macchabées qui, en 168 av. J.-C., furent suppliciés sous les yeux de leur mère pour avoir refusé de manger du porc.

LE SOLDAT

Je dis que... Je dis que... Hop!... Le chef.
(*Ils se lèvent et se mettent au garde-à-vous. Le chef entre
et croise les bras.*)

LE CHEF

Repos!... Alors... mes lascars...[1] C'est ici qu'on voit des
fantômes?

LE SOLDAT

Chef...

LE CHEF

Taisez-vous! Vous parlerez quand je vous interrogerai.
Lequel de vous deux a osé...

LE JEUNE SOLDAT

C'est moi, chef.

LE CHEF

Nom de nom! A qui la parole? Allez-vous vous taire?
Je demande : lequel de vous deux a osé faire parvenir en
haut lieu un rapport touchant le service, sans passer par
la voie hiérarchique[2]. En sautant par-dessus ma tête.
Répondez.

LE SOLDAT

Chef, ce n'est pas sa faute, il savait...

LE CHEF

Est-ce toi ou lui?

LE JEUNE SOLDAT

C'est nous deux, mais c'est moi qui ai...

LE CHEF

Silence! Je demande comment le Grand Prêtre a eu
connaissance de ce qui se passe la nuit à ce poste, alors que
je n'en ai pas eu connaissance, moi!

LE JEUNE SOLDAT

C'est ma faute, chef, c'est ma faute. Mon collègue ne
voulait rien dire. Moi, j'ai cru qu'il fallait parler et comme

---

1. *Lascars* : en argot militaire, soldats particulièrement malins; sans doute
par analogie avec les marins indigènes recrutés jadis par la Compagnie des
Indes; **2.** *Voie hiérarchique* : transmission qui suit l'échelle des grades, en
allant de l'inférieur au supérieur. Ne pas respecter cette procédure — omettre
un officier pour s'adresser directement à son supérieur — est un grave
manquement à la discipline militaire.

cette histoire ne concernait pas le service... enfin quoi...
j'ai tout raconté à son oncle; parce que la femme de son
oncle est la sœur d'une lingère de la Reine, et que le beau-
frère est au temple de Tirésias.

LE SOLDAT

C'est pourquoi j'ai dit, chef, que c'était ma faute.

LE CHEF

Assez! Ne me cassez pas les oreilles. Donc... cette histoire
ne concerne pas le service. Très bien, très bien! Et... cette
fameuse histoire, qui ne concerne pas le service, est une
histoire de revenants, il paraît?

LE JEUNE SOLDAT

Oui, chef!

LE CHEF

Un revenant vous est apparu pendant une nuit de garde,
et ce revenant vous a dit... Au fait, que vous a-t-il dit, ce
revenant?

LE JEUNE SOLDAT

Il nous a dit, chef, qu'il était le spectre[1] du roi Laïus,
qu'il avait déjà essayé plusieurs fois d'apparaître depuis
son meurtre, et qu'il nous suppliait de prévenir, en vitesse,
par n'importe quel moyen, la reine Jocaste et Tirésias.

LE CHEF

En vitesse! Voyez-vous cela! Quel aimable fantôme!
Et... ne lui avez-vous pas demandé, par exemple, ce qui
vous valait l'honneur de sa visite et pourquoi il n'appa-
raissait pas directement chez la Reine ou chez Tirésias?

LE SOLDAT

Si, chef, je le lui ai demandé, moi. Il nous a répondu
qu'il n'était pas libre de se manifester n'importe où, et que
les remparts étaient l'endroit le plus favorable aux apparitions des personnes mortes de mort violente, à cause des
égouts.

LE CHEF

Des égouts?

---

1. Le mot *spectre*, qui désigne l'image fantastique que l'on *croit voir*, donne
à la vision du jeune soldat une vérité concrète, à laquelle le chef ne croit guère
puisqu'il parle, dans la réplique précédente, de *revenant* (celui qui reviendrait
de chez les morts) et dans la réplique suivante de *fantôme* (image née d'une
illusion).

LE SOLDAT

Oui chef. Il a dit des égouts, rapport aux vapeurs qui ne se forment que là.

LE CHEF

Peste! Voilà un spectre des plus savants et qui ne cache pas sa science. Vous a-t-il effrayé beaucoup au moins? Et à quoi ressemblait-il? Quelle tête avait-il? Quel costume portait-il? Où se tenait-il, et quelle langue parlait-il? Ses visites sont-elles longues ou courtes? L'avez-vous vu à plusieurs reprises? Bien que cette histoire ne concerne pas le service, je serais curieux, je l'avoue, d'apprendre de votre bouche quelques détails sur les mœurs des revenants (**4**).

LE JEUNE SOLDAT

On a eu peur, la première nuit, chef, je l'avoue. Il faut vous dire qu'il est apparu très vite, comme une lampe qui s'allume, là, dans l'épaisseur de la muraille.

LE SOLDAT

Nous l'avons vu ensemble.

LE JEUNE SOLDAT

On distinguait mal la figure et le corps; on voyait surtout la bouche quand elle était ouverte, et une touffe de barbe blanche, et une grosse tache rouge, rouge vif, près de l'oreille droite. Il s'exprimait difficilement, et il n'arrivait pas à mettre les phrases au bout les unes des autres. Mais là, chef, interrogez voir mon collègue. C'est lui qui m'a expliqué pourquoi le pauvre homme n'arrivait pas à s'en sortir.

LE SOLDAT

Oh! chef, ce n'est pas sorcier[1]! Il dépensait toute sa force pour apparaître, c'est-à-dire pour quitter sa nouvelle forme et reprendre sa vieille forme, qui nous permette de le voir. La preuve, c'est que chaque fois qu'il parlait un peu moins mal, il disparaissait, il devenait transparent, et on voyait le mur à travers.

---

1. Dans son sens courant, l'expression signifie « ce n'est pas compliqué, il n'est pas nécessaire d'être sorcier pour comprendre cela », mais elle produit ici un effet comique, utilisée à propos d'une apparition qui tient précisément de la sorcellerie.

LE JEUNE SOLDAT

Et dès qu'il parlait mal, on le voyait très bien. Mais on le voyait mal dès qu'il parlait bien et qu'il recommençait la même chose : « La reine Jocaste. Il faut... il faut... la reine... la reine... la reine Jocaste... Il faut prévenir la reine... Il faut prévenir la reine Jocaste... Je vous demande, Messieurs, je vous demande, je... je... Messieurs... je vous... il faut... il faut... je vous demande Messieurs de prévenir... je vous demande... La reine... la reine Jocaste... de prévenir la reine Jocaste... de prévenir, Messieurs, de prévenir... Messieurs... Messieurs... » C'est comme ça qu'il faisait.

LE SOLDAT

Et on voyait qu'il avait peur de disparaître sans avoir dit toutes ses paroles jusqu'à la fin.

LE JEUNE SOLDAT

Et dis voir, écoute un peu, tu te rappelles : chaque fois le même truc : la tache rouge part la dernière. On dirait un fanal sur le mur, chef.

LE SOLDAT

Tout ce qu'on raconte, c'est l'affaire d'une minute!

LE JEUNE SOLDAT

Il est apparu à la même place, cinq fois, toutes les nuits un peu avant l'aurore.

LE SOLDAT

C'est seulement, la nuit dernière, après une séance pas comme les autres... enfin, bref, on s'est un peu battus, et mon collègue a décidé de tout dire à la maison.

LE CHEF

Tiens! Tiens! Et en quoi consistait cette séance « pas comme les autres », qui a, si je ne me trompe, provoqué entre vous une dispute...

LE SOLDAT

Eh bien, chef... Vous savez, la garde, c'est pas très folichon.

LE JEUNE SOLDAT

Alors le fantôme, on l'attendait plutôt.

LE SOLDAT

On pariait, on se disait :

LE JEUNE SOLDAT

Viendra.

LE SOLDAT

Viendra pas...

LE JEUNE SOLDAT

Viendra...

LE SOLDAT

Viendra pas... et tenez, c'est drôle à dire, mais ça soulageait de le voir.

LE JEUNE SOLDAT

C'était comme qui dirait une habitude.

LE SOLDAT

On finissait par imaginer qu'on le voyait quand on ne le voyait pas. On se disait : Ça bouge! Le mur s'allume. Tu ne vois rien? Non. Mais si. Là, là, je te dis... Le mur n'est pas pareil, voyons, regarde, regarde!

LE JEUNE SOLDAT

Et on regardait, on se crevait les yeux, on n'osait plus bouger.

LE SOLDAT

On guettait la moindre petite différence.

LE JEUNE SOLDAT

Enfin, quand ça y était, on respirait, et on n'avait plus peur du tout.

LE SOLDAT

L'autre nuit, on guettait, on guettait, on se crevait les yeux, et on croyait qu'il ne se montrerait pas, lorsqu'il arrive, en douce... pas du tout vite comme les premières nuits, et une fois visible, il change ses phrases, et il nous raconte tant bien que mal qu'il est arrivé une chose atroce, une chose de la mort, une chose qu'il ne peut pas expliquer aux vivants. Il parlait d'endroits où il peut aller, et d'endroits où il ne peut pas aller, et qu'il s'était rendu où il ne devait pas se rendre, et qu'il savait un secret qu'il ne devait pas savoir, et qu'on allait le découvrir et le punir, et qu'ensuite, on lui défendrait d'apparaître, qu'il ne pourrait plus jamais apparaître. *(Voix solennelle.)* « Je mourrai ma dernière mort », qu'il disait, « et ce sera fini, fini. Vous voyez, Messieurs, il n'y a plus une minute à perdre. Courez ! Prévenez la reine ! Cherchez Tirésias ! Messieurs ! Messieurs ! ayez pitié !... » Et il suppliait, et le jour se levait. Et il restait là.

LE JEUNE SOLDAT

Brusquement, on a cru qu'il allait devenir fou.

LE SOLDAT

A travers des phrases sans suite, on comprend qu'il a quitté son poste, quoi... qu'il ne sait plus disparaître, qu'il est perdu. On le voyait bien faire les mêmes cérémonies pour devenir invisible que pour rester visible, et il n'y arrivait pas. Alors, voilà qu'il nous demande de l'insulter, parce qu'il a dit comme ça que d'insulter les revenants c'était le moyen de les faire partir. Le plus bête, c'est qu'on n'osait pas. Plus il répétait : « Allez ! Allez ! jeunes gens, insultez-moi ! Criez, ne vous gênez pas... Allez donc ! » Plus on prenait l'air gourde.

LE JEUNE SOLDAT

Moins on trouvait quoi dire !...

LE SOLDAT

Ça, par exemple ! Et pourtant, c'est pas faute de gueuler après les chefs.

LE CHEF

Trop aimables, Messieurs ! Trop aimables. Merci pour les chefs...

LE SOLDAT

Oh ! chef ! Ce n'est pas ce que j'ai voulu dire... J'ai voulu dire... J'ai voulu parler des princes, des têtes couronnées, des ministres, du gouvernement, quoi... du pouvoir ! On avait même souvent causé de choses injustes... Mais le roi était un si brave fantôme, le pauvre roi Laïus, que les gros mots ne nous sortaient pas de la gorge. Et il nous excitait, lui, et nous, on bafouillait : Va donc eh ! Va donc, espèce de vieille vache ! Enfin, on lui jetait des fleurs[1].

---

1. *Jeter des fleurs* : dire des mots aimables (expression populaire).

LE JEUNE SOLDAT

Parce qu'il faut vous expliquer, chef : vieille vache est un petit nom d'amitié entre soldats.

LE CHEF

Il vaut mieux être prévenu.

LE SOLDAT

Va donc! Va donc eh!... Tête de... Espèce de... Pauvre fantôme! Il restait suspendu entre la vie et la mort, et il crevait de peur à cause des coqs et du soleil. Quand tout à coup, on a vu le mur redevenir le mur, la tache rouge s'éteindre. On était crevés de fatigue.

LE JEUNE SOLDAT

C'est après cette nuit-là que j'ai décidé de parler à son oncle, puisqu'il refusait de parler lui-même.

LE CHEF

Il ne m'a pas l'air très exact, votre fantôme.

LE SOLDAT

Oh! chef, vous savez, il ne se montrera peut-être plus.

LE CHEF

Je le gêne.

LE SOLDAT

Non, chef. Mais après l'histoire d'hier...

LE CHEF

Il est très poli, votre fantôme, d'après tout ce que vous me racontez. Il apparaîtra, je suis tranquille. D'abord la politesse des rois, c'est l'exactitude et la politesse des fantômes consiste à prendre forme humaine, d'après votre ingénieuse théorie.

LE SOLDAT

C'est possible, chef, mais c'est aussi possible que chez les fantômes, il n'y ait plus de rois, et qu'on puisse confondre un siècle avec une minute. Alors si le fantôme apparaît dans mille ans au lieu d'apparaître ce soir...

LE CHEF

Vous m'avez l'air d'une forte tête, mon garçon; et la patience a des bornes. Donc, je vous dis que ce fantôme apparaîtra. Je vous dis que ma présence le dérange, et je vous dis que personne d'étranger au service ne doit passer sur le chemin de ronde.

LE SOLDAT

Oui, chef.

LE CHEF *(Il éclate.)*

Donc, fantôme, ou pas fantôme, je vous ordonne d'empêcher de passer le premier individu qui se présente ici, sans avoir le mot de passe, c'est compris ?

LE SOLDAT

Oui, chef !

LE CHEF

Et n'oubliez pas votre ronde. Rompez !
(Les deux soldats s'immobilisent au port d'armes.)

LE CHEF *(Fausse sortie.)*

N'essayez pas de faire le malin ! Je vous ai à l'œil !
(Il disparaît. Long silence.)

LE SOLDAT

Autant !

LE JEUNE SOLDAT

Il a cru qu'on se payait sa gueule.

LE SOLDAT

Non ma vieille ! Il a cru qu'on se payait la nôtre.

LE JEUNE SOLDAT

La nôtre ?

LE SOLDAT

Oui, ma vieille. Je sais beaucoup de choses par mon oncle, moi. La reine, elle est gentille, mais au fond, on ne l'aime pas ; on la trouve un peu... *(Il se cogne la tête.)* On dit qu'elle est excentrique et qu'elle a un accent étranger, et qu'elle est sous l'influence de Tirésias. Ce Tirésias conseille à la reine tout ce qui peut lui causer du tort. Faites ci... faites ça... Elle lui raconte ses rêves, elle lui demande s'il faut se lever du pied droit ou du pied gauche ; et il la mène par le bout du nez et il lèche les bottes du frère[1], et il complote avec contre la sœur. Tout ça, c'est du sale monde.

---

1. Créon, frère de Jocaste.

Je parierais que le chef a cru que le fantôme était de la même eau que le Sphinx. Un truc des prêtres pour attirer Jocaste et lui faire croire ce qu'on veut lui faire croire.

LE JEUNE SOLDAT

Non ?

LE SOLDAT

Ça t'épate. Eh bien c'est comme ça... *(Voix très basse.)* Et moi, j'y crois au fantôme, moi qui te parle, mais c'est justement parce que j'y crois et qu'ils n'y croient pas, *eux,* que je te conseille de te tenir tranquille. Tu as déjà réussi du beau travail. Pige-moi ce rapport : « A fait preuve d'une intelligence très au-dessus de son grade »...

LE JEUNE SOLDAT

N'empêche que si notre roi...

LE SOLDAT

Notre roi !... Notre roi !... Minute !... Un roi mort n'est pas un roi en vie. La preuve : si le roi Laïus était vivant, hein ! entre nous, il se débrouillerait tout seul et il ne viendrait pas te chercher pour faire ses commissions en ville.

(Ils s'éloignent, à gauche, par le chemin de ronde.)

LA VOIX DE JOCASTE

(En bas des escaliers. Elle a un accent très fort : cet accent international des royalties[1].)
Encore un escalier ! Je déteste les escaliers ! Pourquoi tous ces escaliers ? On n'y voit rien ! Où sommes-nous ?

LA VOIX DE TIRÉSIAS

Mais Madame, vous savez ce que je pense de cette escapade[2], et que ce n'est pas moi...

LA VOIX DE JOCASTE

Taisez-vous, Zizi[3]. Vous n'ouvrez la bouche que pour dire des sottises. Voilà bien le moment de faire la morale.

---

1. *Royalties :* personnes royales ou de sang royal. Cocteau modernise son personnage, en imaginant la Thèbes antique à la façon des monarchies modernes. C'est une princesse étrangère qu'a épousée Laïus et son accent révèle son origine ; 2. Le vieillard condamne la reine comme s'il s'agissait d'une jeune fille coupable d'une fugue ; 3. *Zizi :* ce surnom appliqué au vieux pontife est incongru : la reine ne le prend pas au sérieux.. elle a tort.

LA VOIX DE TIRÉSIAS

Il fallait prendre un autre guide. Je suis presque aveugle.

LA VOIX DE JOCASTE

A quoi sert d'être devin, je demande! Vous ne savez même pas où se trouvent les escaliers. Je vais me casser une jambe! Ce sera votre faute, Zizi, votre faute, comme toujours.

TIRÉSIAS

Mes yeux de chair s'éteignent au bénéfice d'un œil intérieur, d'un œil qui rend d'autres services que de compter les marches des escaliers! (**5**)

JOCASTE

Le voilà vexé avec son œil! Là! là! On vous aime Zizi; mais les escaliers me rendent folle. Il fallait venir, Zizi, il le fallait!

TIRÉSIAS

Madame...

JOCASTE

Ne soyez pas têtu. Je ne me doutais pas qu'il y avait ces maudites[1] marches. Je vais monter à reculons. Vous me retiendrez. N'ayez pas peur. C'est moi qui vous dirige. Mais si je regardais les marches, je tomberais. Prenez-moi les mains. En route!

(Ils apparaissent.)

Là... là... là... quatre, cinq, six, sept...

... *(Jocaste arrive sur la plate-forme et se dirige vers la gauche. Tirésias marche sur le bout de son écharpe. Elle pousse un cri.)*

TIRÉSIAS

Qu'avez-vous?

JOCASTE

C'est votre pied, Zizi! Vous marchez sur mon écharpe.

TIRÉSIAS

Pardonnez-moi...

JOCASTE

Encore, il se vexe! Mais ce n'est pas contre toi que j'en

---

1. *Maudites.* Placé devant le nom, ce mot forme une expression familière qui exprime le mécontentement contre une personne ou un objet, mais dans ce drame sur lequel plane la malédiction des dieux l'expression se charge d'une cruelle ironie.

JOCASTE (Marthe Régnier) et TIRÉSIAS (Pierre Renoir).

Phot. Michel Rivolre.

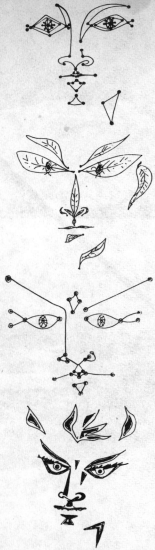

ŒDIPE, dessins de Jean Cocteau parus dans *Paris-Théâtre*
pour *la Machine infernale*.

Document *Paris-Théâtre*.

ai... C'est contre cette écharpe! Je suis entourée d'objets qui me détestent! Tout le jour cette écharpe m'étrangle. Une fois, elle s'accroche aux branches, une autre fois, c'est le moyeu d'un char où elle s'enroule[1], une autre fois tu marches dessus. C'est un fait exprès. Et je la crains, je n'ose pas m'en séparer. C'est affreux! C'est affreux! Elle me tuera[2].

TIRÉSIAS

Voyez dans quel état sont vos nerfs.

JOCASTE

Et à quoi sert ton troisième œil, je demande? As-tu trouvé le Sphinx? As-tu trouvé les assassins de Laïus? As-tu calmé le peuple? On met des gardes à ma porte et on me laisse avec des objets qui me détestent, qui veulent ma mort!

TIRÉSIAS

Sur un simple racontar[3]...

JOCASTE

Je sens les choses. Je sens les choses mieux que vous tous! (*Elle montre son ventre.*) Je les sens là! A-t-on fait tout ce qu'on a pu pour découvrir les assassins de Laïus?

TIRÉSIAS

Madame sait bien que le Sphinx rendait les recherches impossibles.

JOCASTE

Eh bien, moi, je me moque de vos entrailles de poulets[4]... Je sens, là... que Laïus souffre et qu'il veut se plaindre. J'ai décidé de tirer cette histoire au clair, et d'entendre moi-même ce jeune garde; et je l'en-ten-drai. Je suis votre reine, Tirésias, ne l'oubliez pas. (**6**)

---

1. En 1927, la célèbre danseuse Isadora Duncan voyageait dans une voiture découverte sur la Côte d'Azur, lorsque l'extrémité de son écharpe, qui volait au vent, vint s'enrouler autour de l'essieu et l'étrangla. Jean Cocteau démarque cet accident, lorsqu'il raconte la mort de Michaël dans *les Enfants terribles* : « Sa voiture était basse. Une longue écharpe, qui lui enveloppait le cou et flottait, s'enroula autour du moyeu. Elle l'étrangla, la décapita furieusement, pendant que la voiture dérapait, se broyait, se cabrait contre un arbre et devenait une ruine de silence avec une seule roue qui tournait de moins en moins vite en l'air comme une roue de loterie » ; **2.** Nous savons que ce pressentiment se réalisera au dénouement : c'est avec cette même écharpe que Jocaste s'étranglera ; **3.** Allusion à l'apparition du fantôme de Laïus ; pour Tirésias c'est un faux bruit, un commérage ; **4.** C'est en observant les entrailles des animaux sacrifiés que les prêtres « prenaient les auspices », c'est-à-dire prévoyaient l'avenir.

TIRÉSIAS

Ma petite brebis, il faut comprendre un pauvre aveugle qui t'adore, qui veille sur toi et qui voudrait que tu dormes dans ta chambre au lieu de courir après une ombre, une nuit d'orage, sur les remparts.

JOCASTE, *mystérieuse.*

Je ne dors pas.

TIRÉSIAS

Vous ne dormez pas?

JOCASTE

Non Zizi, je ne dors pas. Le Sphinx, le meurtre de Laïus, m'ont mis les nerfs à bout[1]. Tu avais raison de me le dire. Je ne dors plus et c'est mieux, car, si je m'endors une minute, je fais un rêve, un seul et je reste malade toute la journée.

TIRÉSIAS

N'est-ce pas mon métier de déchiffrer les rêves?...

JOCASTE

L'endroit du rêve ressemble un peu à cette plate-forme; alors je te le raconte. Je suis debout, la nuit; je berce une espèce de nourrisson. Tout à coup, ce nourrisson devient une pâte gluante qui me coule entre les doigts. Je pousse un hurlement et j'essaie de lancer cette pâte; mais... oh! Zizi... Si tu savais, c'est immonde[2]... Cette chose, cette pâte reste reliée à moi et quand je me crois libre, la pâte revient à toute vitesse et gifle ma figure. Et cette pâte est vivante. Elle a une espèce de bouche qui se colle sur ma bouche. [...] Quelle horreur!

TIRÉSIAS

Calmez-vous.

JOCASTE

Je ne veux plus dormir, Zizi... Je ne veux plus dormir. Écoute la musique. Où est-ce? Ils ne dorment pas non plus. Ils ont de la chance avec cette musique. Ils ont peur, Zizi... ils ont raison. Ils doivent rêver des choses épouvantables et ils ne veulent pas dormir. Et au fait, pourquoi cette musique? Pourquoi permet-on cette musique? Est-ce

---

1. Cette tension nerveuse de Jocaste est un signe avant-coureur de son destin qui se prépare; **2.** *Immonde :* qui est impur, donc repoussant et ignoble; on appelait souvent les démons des « esprits immondes ».

que j'ai de la musique pour m'empêcher de dormir? Je
ne savais pas que ces boîtes restaient ouvertes toute la
nuit. Pourquoi ce scandale, Zizi? Il faut que Créon donne
des ordres! Il faut empêcher cette musique! Il faut que ce
scandale cesse immédiatement.

TIRÉSIAS

Madame, je vous conjure de vous calmer et de vous en
retourner. Ce manque de sommeil vous met hors de vous.
Nous avons autorisé les musiques afin que le peuple ne
se démoralise pas, pour soutenir le moral. Il y aurait des
crimes... et pire, si on ne dansait pas dans le quartier populaire (**7**)

JOCASTE

Est-ce que je danse, moi?

TIRÉSIAS

Ce n'est pas pareil. Vous portez le deuil de Laïus.

JOCASTE

Et tous sont en deuil, Zizi. Tous! Tous! Tous! et ils
dansent, et je ne danse pas. C'est trop injuste... Je veux...

TIRÉSIAS

On vient, Madame.

JOCASTE

Écoute, Zizi, je tremble, je suis sortie avec tous mes
bijoux.

TIRÉSIAS

N'ayez crainte. Sur le chemin de ronde, on ne rencontre
pas de rôdeurs. C'est certainement une patrouille.

JOCASTE

Peut-être le soldat que je cherche?

TIRÉSIAS

Ne bougez pas. Nous allons le savoir.
(Les soldats entrent. Ils aperçoivent Jocaste et Tirésias.)

LE JEUNE SOLDAT

Bouge pas, on dirait du monde.

LE SOLDAT

D'où sortent-ils? *(Haut.)* Qui va là?

TIRÉSIAS, *à la reine.*

Nous allons avoir des ennuis... *(Haut.)* Écoutez, mes braves...

LE JEUNE SOLDAT

Avez-vous le mot?[1]

TIRÉSIAS

Vous voyez, Madame, qu'il fallait prendre le mot. Vous nous entraînez dans une histoire impossible.

JOCASTE

Le mot? Pourquoi le mot? Quel mot? Vous êtes ridicule, Zizi. Je vais lui parler, moi.

TIRÉSIAS

Madame, je vous conjure. Il y a une consigne. Ces gardes peuvent ne pas vous connaître et ne pas me croire. C'est très dangereux.

JOCASTE

Que vous êtes romanesque! Vous voyez des drames partout.

LE SOLDAT

Ils se concertent. Ils veulent peut-être nous sauter dessus.

TIRÉSIAS, *aux soldats.*

Vous n'avez rien à craindre. Je suis vieux et presque aveugle. Laissez-moi vous expliquer ma présence sur ces remparts, et la présence de la personne qui m'accompagne.

LE SOLDAT

Pas de discours. Nous voulons le mot.

TIRÉSIAS

Une minute. Une minute. Écoutez mes braves. Avez-vous déjà vu des pièces d'or?

LE SOLDAT

Tentative de corruption[2].
(Il s'éloigne vers la gauche pour garder le chemin de ronde et laisse le jeune soldat en face de Tirésias.)

---

1. *Le mot* (de passe) : mot conventionnel, changé toutes les nuits, par lequel les soldats d'une unité reconnaissent ceux qui sont de leur camp; **2.** *Tentative de corruption* : délit consistant à offrir de l'argent à un employé de l'État pour qu'il ne fasse pas son devoir.

TIRÉSIAS

Vous vous trompez. Je voulais dire : avez-vous déjà vu le portrait de la reine sur une pièce d'or ?

LE JEUNE SOLDAT

Oui !

TIRÉSIAS, *s'effaçant et montrant la reine, qui compte les étoiles, de profil.*

Et... vous ne reconnaissez pas...

LE JEUNE SOLDAT

Je ne vois pas le rapport que vous cherchez à établir entre la reine qui est toute jeune, et cette matrone[1].

LA REINE

Que dit-il ?

TIRÉSIAS

Il dit qu'il trouve Madame bien jeune pour être la reine... (**8**)

LA REINE

Il est amusant !

TIRÉSIAS, *au soldat.*

Cherchez-moi votre chef.

LE SOLDAT

Inutile. J'ai des ordres. Filez, et vite.

TIRÉSIAS

Vous aurez de mes nouvelles !

LA REINE

Zizi, quoi encore ? Que dit-il ?

(Entre le chef.)

LE CHEF

Qu'est-ce que c'est ?

LE JEUNE SOLDAT

Chef ! Voilà deux individus[2] qui circulent sans le mot de passe.

---

1. *Matrone :* au sens péjoratif, femme alourdie par l'âge et revêche; **2.** *Individu :* terme employé par la police pour désigner un délinquant dont l'identité est inconnue, d'où la valeur péjorative du mot.

LE CHEF, *s'avançant vers Tirésias.*

Qui êtes-vous? (*Brusquement il le reconnaît.*) Monseigneur! (*Il s'incline.*) Que d'excuses.

TIRÉSIAS

Ouf! Merci Capitaine. J'ai cru que ce jeune brave allait nous passer par les armes.

LE CHEF

Monseigneur! Me pardonnerez-vous? (*Au jeune soldat.*) Imbécile! Laisse-nous.
(*Le jeune soldat rejoint son camarade à l'extrême gauche.*)

LE SOLDAT, *au jeune soldat.*

C'est la gaffe!

TIRÉSIAS

Ne le grondez pas. Il observait sa consigne...

LE CHEF

Une pareille visite... En ce lieu! Que puis-je faire pour Votre Seigneurie?

TIRÉSIAS, *découvrant Jocaste.*

Sa Majesté!...
(*Haut-le-corps du chef.*)

LE CHEF (*Il s'incline à distance respectueuse.*)

Madame!...

JOCASTE

Pas de protocole![1] Je voudrais savoir quel est le garde qui a vu le fantôme?

LE CHEF

C'est le jeune maladroit qui se permettait de rudoyer le seigneur Tirésias, et si Madame...

JOCASTE

Voilà, Zizi. C'est de la chance! J'ai eu raison de venir... (*Au chef.*) Dites-lui qu'il approche.

LE CHEF, *à Tirésias*

Monseigneur. Je ne sais pas si la reine se rend bien compte

---

1. *Protocole :* ici, les règles fixant la conduite à tenir en présence de la souveraine.

que ce jeune soldat s'expliquerait mieux par l'entremise
de son chef; et que, s'il parle seul, Sa Majesté risque...

JOCASTE

Quoi encore, Zizi?

TIRÉSIAS

Le chef me faisait remarquer, Madame, qu'il a l'habitude de ses hommes et qu'il pourrait en quelque sorte
servir d'interprète.

JOCASTE

Otez le chef! Est-ce que le garçon a une langue ou non?
Qu'il approche.

TIRÉSIAS, *au chef, bas.*

N'insistez pas, la reine est très nerveuse...

LE CHEF

Bon... *(Il va vers les soldats ; au jeune soldat.)* La reine
veut te parler. Et surveille ta langue. Je te revaudrai ça,
mon gaillard.

JOCASTE

Approchez!
(Le chef pousse le jeune soldat.)

LE CHEF

Allons va! Va donc, nigaud, avance, on ne te mangera
pas. Excusez-le, Majesté. Nos lascars n'ont guère l'habitude des cours.

JOCASTE, *à Tirésias.*

Priez cet homme[1] de nous laisser seuls avec le soldat.

TIRÉSIAS

Mais, Madame..

JOCASTE

Il n'y a pas de « mais Madame »... Si ce capitaine reste
une minute de plus, je lui donne un coup de pied.

TIRÉSIAS

Écoutez, chef.
(Il le tire un peu à l'écart.)
La reine veut rester seule avec le garde qui a vu la chose.

1. L'expression est involontairement blessante pour le capitaine, traité ici
comme un « homme » de troupe.

Elle a des caprices. Elle vous noterait mal, et je n'y pourrais rien.

LE CHEF

C'est bon. Je vous laisse... Moi, si je restais c'est que...
enfin... Je n'ai pas de conseils à vous donner, Monseigneur...
Mais de vous à moi, méfiez-vous de cette histoire de fantôme. (*Il s'incline.*) Monseigneur... (*Long salut vers la
reine. Il passe près du soldat.*) Hop! La reine veut rester
seule avec ton collègue.

JOCASTE

Qui est l'autre? A-t-il vu le fantôme?

LE JEUNE SOLDAT

Oui, Majesté, nous étions de garde tous les deux.

JOCASTE

Alors, qu'il reste. Qu'il reste là! Je l'appellerai si j'ai
besoin de lui. Bonsoir Capitaine, vous êtes libre.

LE CHEF, *au soldat.*

Nous en reparlerons!
   (*Il sort.*)

TIRÉSIAS, *à la reine.*

Vous avez blessé ce capitaine à mort.

JOCASTE

C'est bien son tour. D'habitude, les hommes sont blessés
à mort et jamais les chefs. (*Au jeune soldat.*) Quel âge as-tu?

LE JEUNE SOLDAT

Dix-neuf ans.

JOCASTE

Juste son âge[1]! Il aurait son âge... Il est beau! Avance
un peu. Regarde-moi, Zizi, quels muscles! J'adore les genoux.
C'est aux genoux qu'on voit la race. Il lui ressemblerait...
Il est beau. Zizi, tâte ces biceps, on dirait du fer..

TIRÉSIAS

Hélas! Madame, vous le savez... je n'ai aucune compé-
tence. J'y vois fort mal...

---

1. La coincidence devrait éveiller la méfiance de Jocaste, mais les dieux
rendent la reine aveugle.

JOCASTE

Alors tâte... Tâte-le. Il a une cuisse de cheval! Il se
recule! N'aie pas peur... le papa est aveugle. Dieu sait ce
qu'il imagine, le pauvre; il est tout rouge! Il est adorable!
Il a dix-neuf ans!

LE JEUNE SOLDAT

Oui, Majesté.

JOCASTE, *l'imitant.*

Oui, Majesté! N'est-il pas exquis? Ah! misère! Il ne
sait peut-être même pas qu'il est beau. *(Comme on parle
à un enfant.)* Alors... tu as vu le fantôme?

LE JEUNE SOLDAT

Oui, Majesté!

JOCASTE

Le fantôme du roi Laïus?

LE JEUNE SOLDAT

Oui, Majesté. Le roi nous a dit qu'il était le roi.

JOCASTE

Zizi... avec vos poulets[1] et vos étoiles, que savez-vous?
Écoute le petit... Et que disait le roi?

TIRÉSIAS, *entraînant la reine.*

Madame! Méfiez-vous, cette jeunesse a la tête chaude,
elle est crédule... arriviste... Méfiez-vous. Êtes-vous sûre
que ce garçon ait vu ce fantôme, et, en admettant qu'il
l'ait vu, était-ce bien le fantôme de votre époux?

JOCASTE

Dieux! Que vous êtes insupportable. Insupportable et
trouble-fête. Toujours, vous arrêtez l'élan, vous empêchez
les miracles[2] avec votre intelligence et votre incrédulité.
Laissez-moi interroger ce garçon toute seule, je vous prie.
Vous prêcherez après. *(Au jeune soldat.)* Ecoute...

LE JEUNE SOLDAT

Majesté!...

JOCASTE, *à Tirésias.*

Je vais bien savoir tout de suite s'il a vu Laïus. *(Au
jeune soldat.)* Comment parlait-il?

1. Cf. page 43, note 4; 2. Situation paradoxale : c'est le prêtre à qui l'on
reproche de ne pas croire aux miracles.

LE JEUNE SOLDAT

Il parlait vite et beaucoup, Majesté, beaucoup, et il s'embrouillait, et il n'arrivait pas à dire ce qu'il voulait dire.

JOCASTE

C'est lui! Pauvre cher! Mais pourquoi sur ces remparts? Cela empeste[1]..

LE JEUNE SOLDAT

C'est justement, Majesté... Le fantôme disait que c'est à cause des marécages et des vapeurs qu'il pouvait apparaître.

JOCASTE

Que c'est intéressant! Tirésias, jamais vous n'apprendrez cela dans vos volailles. Et que disait-il?

TIRÉSIAS

Madame, madame, au moins faudrait-il interroger avec ordre. Vous allez faire perdre la tête à ce gamin.

JOCASTE

C'est juste, Zizi, très juste.
   (Au jeune soldat.)
Comment était-il? Comment le voyiez-vous?

LE JEUNE SOLDAT

Dans le mur, Majesté. C'est comme qui dirait une espèce de statue transparente. On voit surtout la barbe et le trou noir de la bouche qui parle, et une tache rouge, sur la tempe, une tache rouge vif.

JOCASTE

C'est du sang!

LE JEUNE SOLDAT

Tiens! On n'y avait pas pensé.

JOCASTE

C'est une blessure! C'est épouvantable! *(Laïus apparaît.)* Et que disait-il? Avez-vous compris quelque chose?

LE JEUNE SOLDAT

C'était difficile, Majesté. Mon camarade a remarqué qu'il

---

1. *Empester* : répandre une odeur nauséabonde et chargée de miasmes. Mais le mot est chargé d'un double sens; il y a là un signe que Jocaste ne voit pas : entre l'acte III et l'acte IV, la *peste* décimera Thèbes.

se donnait beaucoup de mal pour apparaître, et que chaque fois qu'il se donnait du mal pour s'exprimer clairement, il disparaissait; alors il ne savait plus comment s'y prendre.

JOCASTE

Le pauvre!

LE FANTÔME

Jocaste! Jocaste! Ma femme Jocaste!
(Ils ne le voient, ni ne l'entendent pendant toute la scène.)

TIRÉSIAS, *s'adressant au soldat.*

Et vous n'avez rien pu saisir de clair?

LE FANTÔME

Jocaste!

LE SOLDAT

C'est-à-dire, si, Monseigneur. On comprenait qu'il voulait vous prévenir d'un danger, vous mettre en garde, la Reine et vous, mais c'est tout. La dernière fois, il a expliqué qu'il avait su des secrets qu'il ne devait pas savoir, et que si on le découvrait, il ne pourrait plus apparaître.

LE FANTÔME

Jocaste! Tirésias! Ne me voyez-vous pas? Ne m'entendez-vous pas?

JOCASTE

Et il ne disait rien d'autre. Il ne précisait rien?

LE SOLDAT

Dame! Majesté, il ne voulait peut-être pas préciser en notre présence. Il vous réclamait. C'est pourquoi mon camarade a essayé de vous prévenir.

JOCASTE

Les braves garçons! Et je suis venue. Je le savais bien. Je le sentais là! Tu vois, Zizi, avec tes doutes. Et dites, petit soldat, où le spectre apparaissait-il? Je veux toucher la place exacte.

LE FANTÔME

Regarde-moi! Écoute-moi, Jocaste! Gardes, vous m'avez toujours vu. Pourquoi ne pas me voir? C'est un supplice. Jocaste! Jocaste! (**9**)
(Pendant ces répliques, le Soldat s'est rendu à l'endroit où le fantôme se manifeste. Il le touche de la main.)

LE SOLDAT

C'est là. *(Il frappe le mur.)* Là, dans le mur.

LE JEUNE SOLDAT

Ou devant le mur; on ne peut pas se rendre bien compte.

JOCASTE

Mais pourquoi n'apparaît-il pas cette nuit? Croyez-vous qu'il puisse encore apparaître?

LE FANTÔME

Jocaste! Jocaste! Jocaste!

LE SOLDAT

Hélas, Madame, je ne crois pas, après la scène d'hier. J'ai peur qu'il y ait eu du grabuge[1], et que Votre Majesté arrive trop tard.

JOCASTE

Quel malheur! Toujours trop tard. Zizi, je suis toujours informée la dernière dans le royaume. Que de temps perdu avec vos poulets et vos oracles! Il fallait courir. Il fallait deviner. Nous ne saurons rien! rien! rien! Et il y aura des cataclysmes[2], des cataclysmes épouvantables. Et ce sera votre faute, Zizi, votre faute, comme toujours.

TIRÉSIAS

Madame, la reine parle devant ces hommes...

JOCASTE

Oui, je parle devant ces hommes! Je vais me gêner peut-être? Et le roi Laïus, le roi Laïus mort, a parlé devant ces hommes. Il ne vous a pas parlé à vous, Zizi, ni à Créon. Il n'a pas été se montrer au temple. Il s'est montré sur le chemin de ronde, à ces hommes, à ce garçon de dix-neuf ans qui est beau et qui ressemble[3]...

TIRÉSIAS

Je vous conjure...

---

1. *Grabuge* : désordre, querelle, violence. Mot populaire au sens assez vague; la vulgarité du terme fait contraste avec l'horreur tragique de la situation; 2. *Cataclysme* : catastrophe qui bouleverse et détruit tout. Jocaste ne croit pas si bien dire; c'est l'ironie du destin; 3. Elle pense visiblement à Œdipe, et c'est pour cela qu'elle n'ose pas prononcer son nom. Mais comment peut-elle savoir cela puisqu'elle n'a pas vu son fils depuis le temps où il était un jeune bébé, et que d'ailleurs elle le croit mort? Ces paroles révèlent un jeu tragique où les dieux s'amusent de leur future victime...

JOCASTE

C'est vrai, je suis nerveuse, il faut comprendre. Ces
dangers, ce spectre, cette musique, cette odeur de pour-
riture[1]... Et il y a de l'orage. Mon épaule me fait mal.
J'étouffe, Zizi, j'étouffe!

LE FANTÔME

Jocaste! Jocaste!

JOCASTE

Il me semble entendre mon nom. Vous n'avez rien
entendu?

TIRÉSIAS

Ma petite biche. Vous n'en pouvez plus. Le jour se lève.
Vous rêvez debout. Savez-vous seulement si cette histoire
de fantôme ne résulte pas de la fatigue de ces jeunes gens
qui veillent, qui se forcent à ne pas dormir, qui vivent dans
cette atmosphère marécageuse, déprimante[2]?

LE FANTÔME

Jocaste! Par pitié, écoute-moi! Regarde-moi! Messieurs,
vous êtes bons. Retenez la reine. Tirésias! Tirésias!

TIRÉSIAS, *au jeune soldat.*

Éloignez-vous une seconde, je voudrais parler à la reine.
(Le jeune soldat rejoint son camarade.)

LE SOLDAT

Eh bien, mon fils! Alors ça y est! C'est le béguin. [...]...

LE JEUNE SOLDAT

Dis donc!...

LE SOLDAT

Ta fortune est faite. N'oublie pas les camarades.

TIRÉSIAS

...Écoutez! Des coqs (**10**). Le fantôme ne viendra plus.
Rentrons.

JOCASTE

Tu as vu comme il est beau.

TIRÉSIAS

Ne réveille pas ces tristesses, ma colombe. Si tu avais
un fils...

---

1. Même effet que page 52, ligne 4; **2.** Tirésias se fait ici le complice des
dieux en donnant à la reine des apaisements qui contribuent à l'aveugler.

JOCASTE

Si j'avais un fils, il serait beau, il serait brave, il devinerait
l'énigme, il tuerait le Sphinx. Il reviendrait vainqueur[1].

TIRÉSIAS

Et vous n'auriez pas de mari.

JOCASTE

Les petits garçons disent tous : « Je veux devenir un
homme pour me marier avec maman[2]. » Ce n'est pas si
bête, Tirésias. Est-il plus doux ménage, ménage plus doux
et plus cruel, ménage plus fier de soi, que ce couple d'un
fils et d'une mère jeune? Écoute, Zizi, tout à l'heure,
lorsque j'ai touché le corps de ce garde, les Dieux savent
ce qu'il a dû croire, le pauvret, et moi, j'ai failli m'évanouir.
Il aurait dix-neuf ans, Tirésias, dix-neuf ans! L'âge de
ce soldat. Savons-nous si Laïus ne lui est pas apparu parce
qu'il lui ressemble.

(Coqs.)

LE FANTÔME

Jocaste! Jocaste! Jocaste! Tirésias! Jocaste!

TIRÉSIAS, *aux soldats.*

Mes amis, pensez-vous qu'il soit utile d'attendre encore?

LE FANTÔME

Par pitié!

LE SOLDAT

Franchement non, Monseigneur. Les coqs chantent. Il
n'apparaîtra plus.

LE FANTÔME

Messieurs! De grâce! Suis-je invisible? Ne pouvez-vous
m'entendre?

JOCASTE

Allons! je serai obéissante. Mais je reste heureuse d'avoir
interrogé le garçon. Il faut que tu saches comment il
s'appelle, où il habite. *(Elle se dirige vers l'escalier.)* J'oubliais cet escalier! Zizi... Cette musique me rend malade.
Écoute, nous allons revenir par la haute ville, par les petites
rues, et nous visiterons les boîtes.

---

1. Jocaste raconte toute la suite de la tragédie et elle ne s'en rend pas compte;
2. On ne saurait donner une meilleure définition du « complexe d'Œdipe »
de Sigmund Freud et des psychanalystes.

TIRÉSIAS

Madame, vous n'y pensez pas!

JOCASTE

Voilà qu'il recommence! Il me rendra folle, folle! Folle
et idiote! J'ai des voiles, Zizi, comment voulez-vous qu'on
me reconnaisse?

TIRÉSIAS

Ma colombe, vous l'avez dit vous-même, vous êtes sortie
du palais avec tous vos bijoux. Votre broche seule a des
perles grosses comme un œuf.

JOCASTE

Je suis une victime[1]! Les autres peuvent rire, danser,
s'amuser. Crois-tu que je vais laisser à la maison cette
broche qui crève l'œil[2] de tout le monde. Appelez le garde.
Dites-lui qu'il m'aide à descendre les marches; vous, vous
nous suivrez.

TIRÉSIAS

Mais, Madame, puisque le contact de ce jeune homme
vous affecte...

JOCASTE

Il est jeune, il est fort; il m'aidera; et je ne me romprai
pas le cou. Obéissez au moins une fois à votre reine.

TIRÉSIAS

Hep!... Non lui... Oui, toi... Aide la reine à descendre
les marches...

LE SOLDAT

Eh bien, ma vieille!

LE JEUNE SOLDAT *(Il approche.)*

Oui, Monseigneur.

LE FANTÔME

Jocaste! Jocaste! Jocaste!

JOCASTE

Il est timide! Et les escaliers me détestent. Les escaliers,

---

1. *Victime.* Jocaste croit employer le mot au sens figuré et familier (celle
qui ne tire que des inconvénients de sa situation); en fait elle l'emploie au
sens propre (être humain immolé en sacrifice aux dieux); **2.** Cette broche
crèvera les yeux d'Œdipe au IVᵉ acte.

les agrafes, les écharpes. Oui! Oui! ils me détestent! Ils veulent ma mort.

(*Un cri.*) Ho!

LE JEUNE SOLDAT

La reine s'est fait mal?

TIRÉSIAS

Mais non, stupide! Votre pied! Votre pied!

LE JEUNE SOLDAT

Quel pied?

TIRÉSIAS

Votre pied sur le bout de l'écharpe. Vous avez failli étrangler[1] la reine.

LE JEUNE SOLDAT

Dieux!

JOCASTE

Zizi, vous êtes le comble du ridicule. Pauvre mignon. Voilà que tu le traites d'assassin parce qu'il a marché comme toi, sur cette écharpe. Ne vous tourmentez pas, mon fils[2], Monseigneur est absurde. Il ne manque pas une occasion de faire de la peine.

TIRÉSIAS

Mais, Madame...

JOCASTE

C'est vous le maladroit. Venez. Merci, mon garçon. Vous écrirez au temple votre nom et votre adresse. Une, deux, trois, quatre... C'est superbe! Tu vois, Zizi, comme je descends bien. Onze, douze... Zizi, vous suivez, il reste encore deux marches. (*Au soldat.*) Merci. Je n'ai plus besoin de vous. Aidez le grand-père.

(*Jocaste disparaît par la droite avec Tirésias. On entend les coqs.*)

LA VOIX DE JOCASTE

Par votre faute, je ne saurai jamais ce que voulait mon pauvre Laïus.

LE FANTÔME

Jocaste!

---

1. Reprise du même incident que page 40. Les signes précurseurs du dénouement se multiplient; 2. *Mon fils*. Là encore, Jocaste est trahie par le langage. Elle croit employer le mot au sens figuré, mais elle est inconsciemment hantée par l'image de son enfant (cf. p. 56).

LA VOIX DE TIRÉSIAS

Tout cela est bien vague.

LA VOIX DE JOCASTE

Quoi ? bien vague. Qu'est-ce que c'est vague ? C'est vous qui êtes vague avec votre troisième œil. Voilà un garçon qui sait ce qu'il a vu, et il a vu le roi ; avez-vous vu le roi ?

LA VOIX DE TIRÉSIAS

Mais...

LA VOIX DE JOCASTE

L'avez-vous vu ?... Non... alors... C'est extraordinaire... On dirait...
(Les voix s'éteignent.)

LE FANTÔME

Jocaste ! Tirésias ! Par pitié !...
(Les deux soldats se réunissent et voient le fantôme.)

LES DEUX SOLDATS

Oh ! le spectre !

LE FANTÔME

Messieurs, enfin ! Je suis sauvé ! J'appelais, je suppliais...

LE SOLDAT

Vous étiez là ?

LE FANTÔME

Pendant tout votre entretien avec la reine et avec Tirésias. Pourquoi donc étais-je invisible ?

LE JEUNE SOLDAT

Je cours les chercher !

LE SOLDAT

Halte !

LE FANTÔME

Quoi ? Vous l'empêchez...

LE JEUNE SOLDAT

Laisse-moi...

LE SOLDAT

Lorsque le menuisier arrive, la chaise ne boite plus, lorsque tu entres chez le savetier, ta sandale ne te gêne plus, lorsque tu arrives chez le médecin, tu ne sens plus la douleur. Cherche-les! Il suffira qu'ils arrivent pour que le fantôme disparaisse (**11**).

LE FANTÔME

Hélas! Ces simples savent-ils donc ce que les prêtres ne devinent pas?

LE JEUNE SOLDAT

J'irai.

LE FANTÔME

Trop tard... Restez. Il est trop tard. Je suis découvert. Ils approchent; ils vont me prendre. Ah! les voilà! Au secours! Au secours! Vite! Rapportez à la reine qu'un jeune homme approche de Thèbes, et qu'il ne faut sous aucun prétexte[1]... Non! Non! Grâce! Grâce! Ils me tiennent! Au secours! C'est fini! Je... Je.. Grâce... Je... Je... Je...

(*Long silence. Les deux soldats, de dos, contemplent sans fin la place du mur où le fantôme a disparu.*)

LE SOLDAT

Pas drôle!

LE JEUNE SOLDAT

Non!

LE SOLDAT

Ces choses-là nous dépassent, ma vieille.

LE JEUNE SOLDAT

Mais ce qui reste clair, c'est que malgré la mort, ce type a voulu coûte que coûte prévenir sa femme d'un danger qui la menace. Mon devoir est de rejoindre la reine ou le grand prêtre, et de leur répéter ce que nous venons d'entendre, mot pour mot...

LE SOLDAT

[...] Alors... il n'avait qu'à leur apparaître et à leur parler, ils étaient là. Nous l'avons bien vu, nous, et ils ne le voyaient pas eux, et même ils nous empêchaient de le voir, ce qui est le comble. Ceci prouve que les rois morts deviennent de simples particuliers. Pauvre Laïus! Il sait maintenant comme c'est facile d'arriver jusqu'aux grands de la terre.

---

1. *Prétexte* : raison apparente qui cache la vraie raison d'une action. Le fantôme sait que les dieux tendent des pièges aux humains en leur cachant les vraies raisons de ce qui arrive.

LE JEUNE SOLDAT

Mais nous ?

LE SOLDAT

Oh ! Nous ! Ce n'est pas sorcier de prendre contact avec des hommes, ma petite vache... Mais vois-tu... des chefs, des reines, des pontifes... ils partent toujours avant que ça se passe, ou bien ils arrivent toujours après que ça a eu lieu.

LE JEUNE SOLDAT

Ça quoi ?

LE SOLDAT

Est-ce que je sais ?... Je me comprends, c'est le principal.

LE JEUNE SOLDAT

Et tu n'irais pas prévenir la reine ?

LE SOLDAT

Un conseil : laisse les princes s'arranger avec les princes, les fantômes avec les fantômes, et les soldats avec les soldats (**12**).

(Sonnerie de trompettes.)

ACTE II

LA RENCONTRE D'ŒDIPE ET DU SPHINX

LA VOIX

Spectateurs, nous allons imaginer un recul dans le temps et revivre, ailleurs, les minutes que nous venons de vivre ensemble. En effet, le fantôme de Laïus essaye de prévenir Jocaste, sur une plate-forme des remparts de Thèbes, pendant que le Sphinx et Œdipe se rencontrent sur une éminence qui domine la ville. Mêmes sonneries de trompettes, même lune, mêmes étoiles, mêmes coqs (**13**).

DÉCOR

Un lieu désert, sur une éminence qui domine Thèbes, au clair de lune. La route de Thèbes (de gauche à droite)

*passe au premier plan. On devine qu'elle contourne une haute
pierre penchée, dont la base s'amorce en bas de l'estrade et
forme le portant de gauche. Derrière les décombres d'un petit
temple, un mur en ruine. Au milieu du mur, un socle intact
devait marquer l'entrée du temple et porte les vestiges d'une
chimère[1] : une aile, une patte, une croupe.*

*Colonnes détruites. Pour les ombres finales d'Anubis et de
Némésis, un disque enregistré par les acteurs déclame leur
dialogue, laissant l'actrice mimer la jeune fille morte à tête
de chacal.*

*Au lever du rideau, une jeune fille en robe blanche est assise
sur les décombres. La tête d'un chacal, dont le corps reste
invisible derrière elle, repose sur ses genoux.*

Trompettes lointaines.

LE SPHINX

Écoute.

LE CHACAL

J'écoute.

LE SPHINX

C'est la dernière sonnerie, nous sommes libres.

*(Anubis se lève, on voit que la tête de chacal lui appar-
tenait.)*

LE CHACAL ANUBIS[2]

C'est la première sonnerie. Il en reste encore deux
avant la fermeture des portes de Thèbes.

LE SPHINX

C'est la dernière, la dernière, j'en suis sûre (**14**)!

ANUBIS

Vous en êtes sûre parce que vous désirez la fermeture
des portes, mais hélas! ma consigne m'oblige à vous contre-
dire; nous ne sommes pas libres. C'est la première sonnerie.
Attendons.

---

1. *Chimère :* monstre fabuleux à tête de lion, corps de chèvre, queue de
dragon; **2.** *Anubis :* dieu égyptien qui présidait aux sépultures. Il avait une
tête de chacal sur un corps humain. La présence de cette divinité inconnue
des Grecs pourrait paraître insolite ici, mais le personnage du Sphinx, qui
évoque pour nous les mythes égyptiens autant que le monstre de Thèbes,
facilite ce nouvel anachronisme.

LE SPHINX

Je me trompe peut-être...

ANUBIS

Il n'y a pas l'ombre d'un doute; vous vous trompez.

LE SPHINX

Anubis!

ANUBIS

Sphinx?

LE SPHINX

J'en ai assez de tuer. J'en ai assez de donner la mort.

ANUBIS

Obéissons (**15**). Le mystère a ses mystères. Les dieux possèdent leurs dieux. Nous avons les nôtres. Ils ont les leurs. C'est ce qui s'appelle l'infini.

LE SPHINX

Tu vois, Anubis, la seconde sonnerie ne se fait pas entendre; tu te trompais, partons...

ANUBIS

Vous voudriez que cette nuit s'achève sans morts?

LE SPHINX

Eh bien oui! Oui! Je tremble, malgré l'heure, qu'il ne passe encore quelqu'un.

ANUBIS

Vous devenez sensible.

LE SPHINX

Cela me regarde...

ANUBIS

Ne vous fâchez pas.

LE SPHINX

Pourquoi toujours agir sans but, sans terme, sans comprendre. Ainsi, par exemple, Anubis, pourquoi ta tête de chien? Pourquoi le dieu des morts sous l'apparence que lui supposent les hommes crédules? Pourquoi en Grèce un dieu d'Égypte? Pourquoi un dieu à tête de chien?

ANUBIS

J'admire ce qui vous a fait prendre une figure de femme lorsqu'il s'agissait de poser des questions.

LE SPHINX

Ce n'est pas répondre !

ANUBIS

Je répondrai *que* la logique nous oblige, pour apparaître aux hommes, à prendre l'aspect sous lequel ils nous représentent (**16**) ; sinon, ils ne verraient que du vide. Ensuite : *que* l'Égypte, la Grèce, la mort, le passé, l'avenir n'ont pas de sens chez nous[1] ; *que* vous savez trop bien à quelle besogne ma mâchoire de chacal est soumise ; *que* nos maîtres prouvent leur sagesse en m'incarnant sous une forme inhumaine qui m'empêche de perdre la tête, fût-elle une tête de chien ; car j'ai votre garde, et je devine que, s'ils ne vous avaient donné qu'un chien de garde, nous serions à l'heure actuelle à Thèbes, moi en laisse et vous assise au milieu d'une bande de jeunes gens.

LE SPHINX

Tu es stupide !

ANUBIS

Efforcez-vous donc de vous souvenir que ces victimes qui émeuvent la figure de jeune fille que vous avez prise, ne sont autre chose que zéros essuyés sur une ardoise, même si chacun de ces zéros était une bouche ouverte criant au secours (**17**).

LE SPHINX

C'est possible. Mais ici, nos calculs de dieux nous échappent... Ici, nous tuons. Ici les morts meurent. Ici je tue !

(*Le Sphinx a parlé, le regard à terre. Pendant sa phrase, Anubis a dressé les oreilles, tourné la tête et détalé sans bruit, à travers les ruines où il disparaît. Lorsque le Sphinx lève les yeux, il le cherche et se trouve face à face avec un groupe qui entre par la gauche, premier plan, et que le nez d'Anubis avait flairé. Le groupe se compose d'une matrone de Thèbes, de son petit garçon et de sa petite fille. La matrone traîne sa fille. Le garçon marche devant elle.*)

LA MATRONE

Regarde où tu mets tes pieds ! Avance ! Ne regarde pas derrière toi ! Laisse ta sœur ! Avance... (*Elle aperçoit le*

---

1. Les dieux vivent en dehors du temps.

Il déclare que le Sphinx l'intéresserait s'il tuait pour tuer, mais que notre Sphinx est de la clique[1] des oracles, et qu'il ne l'intéresse pas (**20**).

LE SPHINX

Et votre quatrième fils ? Votre deuil date...

LA MATRONE

Je l'ai perdu voilà presque une année. Il venait d'avoir dix-neuf ans.

LE SPHINX

Pauvre femme... Et, de quoi est-il mort ?

LA MATRONE

Il est mort au Sphinx.

LE SPHINX, *sombre.*

Ah !...

LA MATRONE

Mon fils cadet peut bien prétendre qu'il a été victime des intrigues de la police[2]... Non... Non... Je ne me trompe pas. Il est mort au Sphinx. Ah ! Mademoiselle... Je vivrais cent ans, je verrai toujours la scène. Un matin (il n'était pas rentré la nuit), je crois qu'il frappe à la porte ; j'ouvre et je vois le dessous de ses pauvres pieds et tout le corps après, et très loin, très loin, sa pauvre petite figure et, à la nuque, tenez ici, une grosse blessure d'où le sang ne coulait même plus. On me le rapportait sur une civière. Alors, Mademoiselle, j'ai fait : Ho ! et je suis tombée, comme ça... Des malheurs pareils, comprenez-vous, ça vous marque. Je vous félicite si vous n'êtes pas de Thèbes et si vous n'avez point de frère. Je vous félicite... Son cadet, l'orateur, il veut le venger. A quoi bon ? Mais il déteste les prêtres et mon pauvre fils était de la série des offrandes.

LE SPHINX

Des offrandes ?

LA MATRONE

Dame oui. Les premiers mois du Sphinx, on envoyait

1. *La clique* : coterie de gens influents qui se servent du pouvoir politique au profit de leurs intérêts particuliers ; 2. Cette allusion aux menées de la police prend, en 1934, une valeur d'actualité : le préfet de police Jean Chiappe, qui avait partie liée avec les organisations d'extrême droite, avait été accusé de détourner la police de son véritable rôle et fut relevé de ses fonctions avant le 6 février 1934.

Sphinx contre qui le garçon trébuche.) Prends garde ! Je t'avais dit de regarder où tu marches ! Oh ! pardon, Madame... Il ne regarde jamais où il marche... Il ne vous a pas fait mal ?

LE SPHINX

Mais pas du tout, Madame.

LA MATRONE

Je ne m'attendais pas à rencontrer du monde sur ma route à des heures pareilles.

LE SPHINX

Je suis étrangère, arrivée à Thèbes depuis peu ; je retourne chez une parente qui habite la campagne et je m'étais perdue.

LA MATRONE

Pauvre petite ! Et où habite-t-elle, votre parente (**18**) ?

LE SPHINX

..... Aux environs de la douzième borne.

LA MATRONE

Juste d'où j'arrive ! J'ai déjeuné en famille, chez mon frère. Il m'a retenue à dîner. Après le dîner, on bavarde, on bavarde, et me voilà qui rentre, après le couvre-feu, avec des galopins qui dorment debout.

LE SPHINX

Bonne nuit, Madame.

LA MATRONE

Bonne nuit. *(Fausse sortie.)* Et... dites... ne traînez pas en route. Je sais que ni vous ni moi n'avons grand-chose à craindre... mais je ne serai pas fière tant que je ne serai pas dans les murs[1]

LE SPHINX

Vous craignez les voleurs ?

LA MATRONE

Les voleurs ! Justes dieux, que pourraient-ils me prendre ? Non, non, ma petite. D'où sortez-vous ? On voit que vous n'êtes pas de la ville. Il s'agit du Sphinx !

1. A l'intérieur de l'enceinte, car la ville de Thèbes est fortifiée.

LE SPHINX

Vous y croyez vraiment, vraiment, vous, Madame, à cette histoire-là?

LA MATRONE

Cette histoire-là! Que vous êtes jeune. La jeunesse est incrédule. Si, si. Voilà comment il arrive des malheurs.

Sans parler du Sphinx, je vous cite un exemple de ma famille. Mon frère, de chez qui je rentre... (Elle s'assied et baisse la voix.) Il avait épousé une grande, belle femme blonde, une femme du nord. Une nuit, il se réveille et qu'est-ce qu'il trouve? Sa femme couchée, sans tête et sans entrailles. C'était un vampire. Après la première émotion, mon frère ne fait ni une ni deux, il cherche un œuf et le pose sur l'oreiller, à la place de la tête de sa femme. C'est le moyen d'empêcher les vampires de rentrer dans leurs corps. Tout à coup, il entend des plaintes. C'étaient la tête et les entrailles affolées qui voletaient à travers la chambre et qui suppliaient mon frère d'ôter l'œuf. Et mon frère refuse, et la tête passe des plaintes à la colère, de la colère aux larmes et des larmes aux caresses. Bref, mon imbécile de frère ôte l'œuf et laisse rentrer sa femme. Maintenant, il sait que sa femme est un vampire et mes fils se moquent de leur oncle. Ils prétendent qu'il invente ce vampire de toutes pièces pour cacher que sa femme sortait bel et bien avec son corps et qu'il la laissait rentrer, et qu'il est un lâche, et qu'il en a honte. Mais moi, je sais que ma belle-sœur est un vampire, je le sais... Et mes fils risquent d'épouser des monstres d'enfer parce qu'ils s'obstinent à être in-cré-du-les.

Ainsi, le Sphinx, excusez si je vous choque, il faut être vous et mes fils pour ne pas y croire.

LE SPHINX

Vos fils...?

LA MATRONE

Pas le morveux qui s'est jeté dans vos jambes. Je parle d'un autre fils de dix-sept ans...

LE SPHINX

Vous avez plusieurs fils?

LA MATRONE

J'en avais quatre. Il m'en reste trois : sept ans, seize ans

et dix-sept ans. Et je vous assure que depuis cette maudite bête, la maison est devenue inhabitable.

LE SPHINX

Vos fils se disputent (19)?

LA MATRONE

Mademoiselle, c'est-à-dire que c'est impossible de s'entendre. Celui de seize ans s'occupe de politique. Le Sphinx qu'il dit, c'est un loup-garou[1] pour tromper le pauvre monde. Il y a peut-être eu quelque chose comme votre Sphinx — c'est mon fils qui s'exprime — maintenant votre Sphinx est mort; c'est une arme entre les mains des prêtres et un prétexte aux micmacs de la police. On égorge, on pille, on épouvante le peuple, et on rejette tout sur le Sphinx. Le Sphinx a bon dos. C'est à cause du Sphinx qu'on crève de famine, que les prix montent, que les bandes de pillards infestent les campagnes; c'est à cause du Sphinx que rien ne marche, que personne ne gouverne, que les faillites se succèdent, que les temples regorgent d'offrandes tandis que les mères et les épouses perdent leur gagne-pain, que les étrangers qui dépensent se sauvent de la ville; et il faut le voir, Mademoiselle, monter sur la table, criant, gesticulant, piétinant; et il dénonce les coupables, il prêche la révolte, il stimule les anarchistes, il crie à tue-tête des noms de quoi nous faire pendre tous. Et entre nous,... moi qui parle, tenez... Mademoiselle, je sais qu'il existe, le Sphinx... mais on en profite. C'est certain qu'on en profite. Il faudrait un homme de poigne, un dictateur[2]!

LE SPHINX

Et... le frère de votre jeune dictateur?

LA MATRONE

Ça, c'est un autre genre. Il méprise son frère, il m[e] méprise, il méprise la ville, il méprise les dieux, il mépri[se] tout. On se demande où il va chercher ce qu'il vous so[rt]

1. Loup-garou : personnage de légende qui est sorcier et se transform[e] nuit en loup pour faire le mal; 2. C'était une remarque d'actualité en 1[9..] une certaine partie de l'opinion, fatiguée de l'impuissance politique d[e la] IIIᵉ République, voulait soumettre la France à une dictature analogue à [celle] qui régnait en Allemagne ou en Italie. Le 6 février 1934, les organisa[teurs] d'extrême droite avaient fomenté une émeute à Paris; la première repr[ésen]-tation de la Machine infernale est du 10 avril de la même année.

la troupe venger la belle jeunesse qu'on trouvait morte un peu partout; et la troupe rentrait bredouille. Le Sphinx restait introuvable. Ensuite, le bruit s'étant répandu que le Sphinx posait des devinettes, on a sacrifié la jeunesse des écoles; alors les prêtres ont déclaré que le Sphinx exigeait des offrandes. C'est là-dessus qu'on a choisi les plus jeunes, les plus faibles, les plus beaux.

LE SPHINX

Pauvre Madame (**21**)!

LA MATRONE

Je le répète, Mademoiselle, il faudrait une poigne. La reine Jocaste est encore jeune. De loin, on lui donnerait vingt-neuf, trente ans. Il faudrait un chef qui tombe du ciel, qui l'épouse, qui tue la bête, qui punisse les trafics, qui boucle Créon et Tirésias, qui relève les finances, qui remonte le moral du peuple, qui l'aime, qui nous sauve, quoi! qui nous sauve...

LE FILS

Maman!

LA MATRONE

Laisse...

LE FILS

Maman... dis maman, comment il est le Sphinx?

LA MATRONE

Je ne sais pas. *(Au Sphinx.)* Voilà-t-il point qu'ils inventent de nous demander nos derniers sous pour construire un monument aux morts du Sphinx? Croyez-vous que cela nous les rende.

LE FILS

Maman... Comment il est le Sphinx?

LE SPHINX

Le pauvre! sa sœur dort. Viens... *(Le fils se met dans les jupes du Sphinx.)*

LA MATRONE

N'ennuie pas la dame.

LE SPHINX

Laissez-le... *(Elle lui caresse la nuque.)*

LE FILS

Maman, dis, c'est cette dame le Sphinx?

LA MATRONE

Tu es trop bête. *(Au Sphinx.)* Excusez-le, à cet âge, ils ne savent pas ce qu'ils disent... *(Elle se lève.)* Ouf! *(Elle charge la petite fille endormie sur ses bras.)* Allons! Allons! En route, mauvaise troupe!

LE FILS

Maman, c'est cette dame, le Sphinx? Dis maman, c'est le Sphinx, cette dame? C'est ça, le Sphinx (22)?

LA MATRONE

Assez! Ne sois pas stupide! *(Au Sphinx.)* Bonsoir, Mademoiselle. Excusez-moi si je bavarde. J'étais contente de souffler une petite minute... Et... méfiez-vous! *(Fanfare.)* Vite. Voilà la deuxième relève; à la troisième, nous resterions dehors.

LE SPHINX

Dépêchez-vous. Je vais courir de mon côté. Vous m'avez donné l'alarme.

LA MATRONE

Croyez-moi, nous ne serons tranquilles que si un homme à poigne nous débarrasse de ce fléau (23).
(Elle sort par la droite.)

LA VOIX DU FILS

Dis, maman, comment il est le Sphinx?... C'était pas cette dame?... Alors comment il est?...

LE SPHINX, *seul.*

Un fléau!

ANUBIS, *sortant des ruines.*

Il ne nous manquait que cette matrone.

LE SPHINX

Voilà deux jours que je suis triste, deux jours que je me traîne, en souhaitant que ce massacre prenne fin.

ANUBIS

Confiez-vous, calmez-vous.

LE SPHINX

Écoute. Voilà le vœu que je forme et les circonstances

dans lesquelles il me serait possible de monter une dernière
fois sur mon socle. Un jeune homme gravirait la colline.
Je l'aimerais. Il n'aurait aucune crainte. A la question que
je pose il répondrait comme un égal. Il ré-pon-drait,
Anubis, et je tomberais morte.

ANUBIS

Entendons-nous : votre forme mortelle tomberait morte.

LE SPHINX

N'est-ce pas sous cette forme que je voudrais vivre
pour le rendre heureux.

ANUBIS

Il est agréable de voir qu'en s'incarnant une grande
déesse ne devient pas une petite femme.

LE SPHINX

Tu vois que j'avais plus que raison et que la sonnerie
que nous venons d'entendre était la dernière.

ANUBIS

Fille des hommes! On n'en a jamais fini avec vous.
Non, non et non!
(Il s'éloigne et monte sur une colonne renversée.)
Cette sonnerie était la deuxième. Il m'en faut encore
une, et vous serez libre. Oh!

LE SPHINX

Qu'as-tu?

ANUBIS

Mauvaise nouvelle.

LE SPHINX

Un voyageur?

ANUBIS

Un voyageur...
*(Le Sphinx rejoint Anubis sur la colonne et regarde en
coulisse, à gauche.)*

LE SPHINX

C'est impossible, impossible. Je refuse d'interroger ce
jeune homme. Inutile, ne me le demande pas.

ANUBIS

Je conviens que si vous ressemblez à une jeune mortelle,
il ressemble fort à un jeune dieu.

LE SPHINX

Quelle démarche, Anubis, et ces épaules! Il approche.

ANUBIS

Je me cache. N'oubliez pas que vous êtes le Sphinx. Je vous surveille. Je paraîtrai au moindre signe.

LE SPHINX

Anubis, un mot... vite...

ANUBIS

Chut!... le voilà! *(Il se cache.)*
(Œdipe entre par le fond à gauche. Il marche tête basse et sursaute.)

ŒDIPE

Oh! Pardon...

LE SPHINX

Je vous ai fait peur.

ŒDIPE

C'est-à-dire... non... mais je rêvais, j'étais à cent lieues de l'endroit où nous sommes, et... là, tout à coup...

LE SPHINX

Vous m'avez prise pour un animal.

ŒDIPE

Presque.

LE SPHINX

Presque? Presque un animal, c'est le Sphinx.

ŒDIPF

Je l'avoue.

LE SPHINX

Vous avouez m'avoir prise pour le Sphinx. Merci.

ŒDIPE

Je me suis vite rendu compte de mon erreur[1]!

LE SPHINX

Trop aimable. Le fait est que pour un jeune homme, ce ne doit pas être drôle de se trouver brusquement nez à nez avec lui.

1. L'aveuglement d'Œdipe rappelle l'aveuglement de Jocaste; voir page 56, note 1.

ŒDIPE

Et pour une jeune fille?

LE SPHINX

Il ne s'attaque pas aux jeunes filles.

ŒDIPE

Parce que les jeunes filles évitent les endroits qu'il fréquente et n'ont guère l'habitude, il me semble, de sortir
seules après la chute du jour.

LE SPHINX

Mêlez-vous, cher Monsieur, de ce qui vous regarde
et laissez-moi passer mon chemin.

ŒDIPE

Quel chemin?

LE SPHINX

Vous êtes extraordinaire. Dois-je rendre compte à un
étranger du but de ma promenade?

ŒDIPE

Et si je le devinais, moi, ce but.

LE SPHINX

Vous m'amusez beaucoup

ŒDIPE

Ce but... ne serait-ce pas la curiosité qui ravage toutes
les jeunes femmes modernes, la curiosité de savoir comment
le Sphinx est fait? S'il a des griffes, un bec, des ailes?
S'il tient du tigre ou du vautour?

LE SPHINX

Allez, allez..

ŒDIPE

Le Sphinx est le criminel à la mode. Qui l'a vu? Personne.
On promet à qui le découvrira des récompenses fabuleuses.
Les lâches tremblent. Les jeunes hommes meurent... Mais
une jeune fille ne pourrait-elle se risquer dans la zone
interdite, braver les consignes, oser ce que personne de
raisonnable n'ose, dénicher le monstre, le surprendre au
gîte, l'apercevoir!

LE SPHINX

Vous faites fausse route, je vous le répète, Je rentre

chez une parente qui habite la campagne, et comme j'oubliais qu'il existe un Sphinx et que les environs de Thèbes ne sont pas sûrs, je me reposais une minute assise sur les pierres de cette ruine. Vous voyez que nous sommes loin de compte.

ŒDIPE

Dommage! Depuis quelque temps je ne croise que des personnes si plates[1]; alors j'espérais un peu d'imprévu. Excusez-moi.

LE SPHINX

Bonsoir!

ŒDIPE

Bonsoir!

(Ils se croisent. Mais Œdipe se retourne.)

Eh bien, Mademoiselle, au risque de me rendre odieux, figurez-vous que je n'arrive pas à vous croire et que votre présence dans ces ruines continue de m'intriguer énormément (**24**)

LE SPHINX

Vous êtes incroyable.

ŒDIPE

Car, si vous étiez une jeune fille comme les autres, vous auriez déjà pris vos jambes à votre cou.

LE SPHINX

Vous êtes de plus en plus comique, mon garçon.

ŒDIPE

Il me paraissait si merveilleux de trouver, chez une jeune fille, un émule digne de moi.

LE SPHINX

Un émule? Vous cherchez donc le Sphinx?

ŒDIPE

Si je le cherche! Sachez que depuis un mois je marche sans fatigue, et c'est pourquoi j'ai dû manquer de savoir-vivre, car j'étais si fiévreux en approchant de Thèbes que j'eusse crié mon enthousiasme à n'importe quelle colonne, et voilà qu'au lieu d'une colonne, une jeune fille blanche se dresse sur ma route. Alors je n'ai pu m'empêcher de

---

1. *Plates* : au sens figuré, qui sont dénuées de tout intérêt.

l'entretenir de ce qui m'occupe et de lui prêter les mêmes intentions qu'à moi.

LE SPHINX

Mais, dites, il me semble que, tout à l'heure, en me voyant surgir de l'ombre, vous paraissiez mal sur vos gardes, pour un homme qui souhaite se mesurer avec l'ennemi.

ŒDIPE

C'est juste! Je rêvais de gloire et la bête m'eût pris en défaut. Demain, à Thèbes, je m'équipe et la chasse commence.

LE SPHINX

Vous aimez la gloire?

ŒDIPE

Je ne sais pas si j'aime la gloire; j'aime les foules qui piétinent, les trompettes, les oriflammes qui claquent, les palmes qu'on agite, le soleil, l'or, la pourpre, le bonheur, la chance, vivre enfin (**25**)!

LE SPHINX

Vous appelez cela vivre.

ŒDIPE

Et vous?

LE SPHINX

Moi non. J'avoue avoir une idée toute différente de la vie.

ŒDIPE

Laquelle?

LE SPHINX

Aimer. Être aimé de qui on aime.

ŒDIPE

J'aimerai mon peuple, il m'aimera.

LE SPHINX

La place publique n'est pas un foyer.

ŒDIPE

La place publique n'empêche rien. A Thèbes le peuple cherche un homme. Si je tue le Sphinx, je serai cet homme. La reine Jocaste est veuve, je l'épouserai...

LE SPHINX

Une femme qui pourrait être votre mère!

ŒDIPE

L'essentiel est qu'elle ne le soit pas.

LE SPHINX

Croyez-vous qu'une reine et qu'un peuple se livrent
au premier venu ?

ŒDIPE

Le vainqueur du Sphinx serait-il le premier venu ? Je
connais la récompense. La reine lui est promise. Ne riez
pas, soyez bonne... Il faut que vous m'écoutiez. Il faut
que je vous prouve que mon rêve n'est pas un simple rêve.
Mon père est roi de Corinthe. Mon père et ma mère me
mirent au monde lorsqu'ils étaient déjà vieux, et j'ai vécu
dans une cour maussade. Trop de caresses, de confort
excitaient en moi je ne sais quel démon d'aventures. Je
commençais de languir, de me consumer, lorsqu'un soir,
un ivrogne me cria que j'étais un bâtard et que j'usurpais
la place d'un fils légitime. Il y eut des coups, des insultes ;
et le lendemain, malgré les larmes de Mérope et de Polybe,
je décidai de visiter les sanctuaires et d'interroger les dieux.
Tous me répondirent par le même oracle : « Tu assassineras
ton père et tu épouseras ta mère. »

LE SPHINX

Hein ?

ŒDIPE

Oui... oui... Au premier abord cet oracle suffoque[1], mais
j'ai la tête solide. Je réfléchis à l'absurdité de la chose, je
fis la part des dieux et des prêtres et j'arrivai à cette conclu-
sion : ou l'oracle cachait un sens moins grave qu'il s'agissait
de comprendre ; ou les prêtres, qui correspondent de temple
en temple par les oiseaux, trouvaient un avantage à mettre
cet oracle dans la bouche des dieux et à m'éloigner du pouvoir. Bref, j'oubliai vite mes craintes et, je l'avoue, je pro-
fitai de cette menace de parricide et d'inceste pour fuir la
cour et satisfaire ma soif d'inconnu

LE SPHINX

C'est mon tour de me sentir étourdie. Je m'excuse de

---

1. *Suffoquer* : étouffer, avoir la respiration coupée. Le mot, tout en étant pris
ici au figuré, suggère une image assez proche de celle de la strangulation
qu'évoque l'écharpe de Jocaste à l'acte I ou le nom même du Sphinx
(l'étrangleur).

m'être un peu moquée de vous. Vous me pardonnez, Prince?

ŒDIPE

Donnons-nous la main. Puis-je vous demander votre nom? Moi, je m'appelle Œdipe; j'ai dix-neuf ans.

LE SPHINX

Qu'importe! Laissez mon nom, Œdipe. Vous devez aimer les noms illustres... Celui d'une petite fille de dix-sept ans ne vous intéresserait pas.

ŒDIPE

Vous êtes méchante.

LE SPHINX

Vous adorez la gloire. Et pourtant la manière la plus sûre de déjouer l'oracle ne serait-elle pas d'épouser une femme plus jeune que vous?

ŒDIPE

Voici une parole qui ne vous ressemble pas. La parole d'une mère de Thèbes où les jeunes gens à marier se font rares.

LE SPHINX

Voici une parole qui ne vous ressemble pas, une parole lourde et vulgaire.

ŒDIPE

Alors j'aurais couru les routes, franchi des montagnes et des fleuves pour prendre une épouse qui deviendra vite un Sphinx, pire que le Sphinx, un Sphinx à mamelles et à griffes!

LE SPHINX

Œdipe...

ŒDIPE

Non pas! Je tenterai ma chance. Prenez cette ceinture; elle vous permettra de venir jusqu'à moi lorsque j'aurai tué la bête.

(Jeu de scène.)

LE SPHINX

Avez-vous déjà tué?

ŒDIPE

Une fois. C'était au carrefour où les routes de Delphes

et de Daulie se croisent. Je marchais comme tout à l'heure. Une voiture approchait conduite par un vieillard, escorté de quatre domestiques. Comme je croisais l'attelage, un cheval se cabre, me bouscule et me jette contre un des domestiques. Cet imbécile lève la main sur moi. J'ai voulu répondre avec mon bâton, mais il se courbe et j'attrape le vieillard à la tempe. Il tombe. Les chevaux s'emballent, ils le traînent. Je cours après : les domestiques épouvantés se sauvent ; et je me retrouve seul avec le cadavre d'un vieillard qui saigne, et des chevaux empêtrés qui se roulent en hennissant et en cassant leurs jambes. C'était atroce... atroce... (**26**)

LE SPHINX

Oui, n'est-ce pas... c'est atroce de tuer...

ŒDIPE

Ma foi, ce n'était pas ma faute et je n'y pense plus. Il importe que je saute les obstacles, que je porte des œillères[1], que je ne m'attendrisse pas. D'abord mon étoile.

LE SPHINX

Alors, adieu Œdipe. Je suis du sexe qui dérange les héros. Quittons-nous, je crois que nous n'aurions plus grand-chose à nous dire.

ŒDIPE

Déranger les héros ! Vous n'y allez pas de main morte.

LE SPHINX

Et... si le Sphinx vous tuait ?

ŒDIPE

Sa mort dépend, si je ne me trompe, d'un interrogatoire auquel je devrai répondre. Si je devine, il ne me touche même pas, il meurt.

LE SPHINX

Et si vous ne devinez pas ?

ŒDIPE

J'ai fait, grâce à ma triste enfance, des études qui me procurent bien des avantages sur les garnements de Thèbes.

---

1. *Œillères* : pièces de cuir qui garantissent les yeux du cheval et l'empêchent de regarder de côté et d'avoir peur. Si Œdipe pouvait voir de côté, au lieu de fixer uniquement son but, il comprendrait que de graves dangers le menacent.

LE SPHINX

Vous m'en direz tant!

ŒDIPE

Et je ne pense pas que le monstre naïf s'attende à se trouver face à face avec l'élève des meilleurs lettrés de Corinthe.

LE SPHINX

Vous avez réponse à tout. Hélas! car, vous l'avouerai-je, Œdipe, j'ai une faiblesse : les faibles me plaisent et j'eusse aimé vous prendre en défaut.

ŒDIPE

Adieu.
(Le Sphinx fait un pas pour s'élancer à sa poursuite et s'arrête, mais ne peut résister à un appel. Jusqu'à son « moi! moi! » le Sphinx ne quitte plus des yeux les yeux d'Œdipe, bougeant comme autour de ce regard immobile, fixe, vaste, aux paupières qui ne battent pas.)

LE SPHINX

Œdipe!

ŒDIPE

Vous m'appelez?

LE SPHINX

Un dernier mot. Jusqu'à nouvel ordre, rien d'autre ne préoccupe votre esprit, rien d'autre ne fait battre votre cœur, rien d'autre n'agite votre âme que le Sphinx?

ŒDIPE

Rien d'autre, jusqu'à nouvel ordre.

LE SPHINX

Et celui ou... celle qui vous mettrait en sa présence,... je veux dire qui vous aiderait... je veux dire, qui saurait peut-être quelque chose facilitant cette rencontre... se revêtirait-il ou elle, de prestige, au point de vous toucher, de vous émouvoir?

ŒDIPE

Certes, mais que prétendez-vous?

LE SPHINX

Et si moi, moi, je vous livrais un secret, un secret immense[1]?

ŒDIPE

Vous plaisantez!

LE SPHINX

Un secret qui vous permette d'entrer en contact avec l'énigme des énigmes, avec la bête humaine, avec la chienne qui chante, comme ils disent, avec le Sphinx?

ŒDIPE

Quoi? Vous! Vous! Aurais-je deviné juste et votre curiosité aurait-elle découvert... Mais non! Je suis absurde. C'est une ruse de femme pour m'obliger à rebrousser chemin.

LE SPHINX

Bonsoir.

ŒDIPE

Pardon...

LE SPHINX

Inutile.

ŒDIPE

Je suis un niais qui s'agenouille et qui vous conjure de lui pardonner.

LE SPHINX

Vous êtes un fat qui regrette d'avoir perdu sa chance et qui essaye de la reprendre.

ŒDIPE

Je suis un fat, j'ai honte. Tenez, je vous crois, je vous écoute. Mais si vous m'avez joué un tour, je vous tirerai par les cheveux et je vous pincerai jusqu'au sang.

LE SPHINX

Venez.
    (*Elle le mène en face du socle.*)
Fermez les yeux. Ne trichez pas. Comptez jusqu'à cinquante.

ŒDIPE, *les yeux fermés.*

Prenez garde!

---

1. *Immense* : employé ici au sens étymologique, que l'on ne peut pas *mesurer*.

LE SPHINX

Chacun son tour.

(Œdipe compte. On sent qu'il se passe un événement extraordinaire. Le Sphinx bondit à travers les ruines, disparaît derrière le mur et reparaît, engagé dans le socle praticable, c'est-à-dire qu'il semble accroché au socle, le buste dressé sur les coudes, la tête droite, alors que l'actrice se tient debout, ne laissant paraître que son buste et ses bras couverts de gants mouchetés, les mains griffant le rebord, que l'aile brisée donne naissance à des ailes subites, immenses, pâles, lumineuses, et que les fragments de statue la complètent, la prolongent et paraissent lui appartenir. On entend Œdipe compter 47, 48, 49, attendre un peu et crier 50. Il se retourne.)

ŒDIPE

Vous!

LE SPHINX, *d'une voix lointaine, haute, joyeuse, terrible.*

Moi! Moi! le Sphinx!

ŒDIPE

Je rêve!

LE SPHINX

Tu n'es pas un rêveur, Œdipe. Ce que tu veux, tu le veux, tu l'as voulu. Silence. Ici j'ordonne. Approche.

(Œdipe, les bras au corps, comme paralysé, tente avec rage de se rendre libre.)

LE SPHINX

Avance. *(Œdipe tombe à genoux.)* Puisque tes jambes te refusent leur aide, saute, sautille... Il est bon qu'un héros se rende un peu ridicule. Allons, va, va! Sois tranquille. Il n'y a personne pour te regarder.

(Œdipe, se tordant de colère, avance sur les genoux.)

LE SPHINX

C'est bien. Halte! Et maintenant...

ŒDIPE

Et maintenant, je commence à comprendre vos méthodes et par quelles manœuvres vous enjôlez[1] et vous égorgez les voyageurs.

---

1. *Enjôler :* proprement, prendre par la douceur pour mettre en prison, en geôle. Œdipe est effectivement privé de sa liberté de mouvements.

LE SPHINX

...Et maintenant je vais te donner un spectacle. Je vais te montrer ce qui se passerait à cette place, Œdipe, si tu étais n'importe quel joli garçon de Thèbes et si tu n'avais eu le privilège de me plaire.

ŒDIPE

Je sais ce que valent vos amabilités. (*Il se crispe des pieds à la tête. On voit qu'il lutte contre un charme*[1].)

LE SPHINX

Abandonne-toi. N'essaye pas de te crisper, de résister. Abandonne-toi. Si tu résistes, tu ne réussiras qu'à rendre ma tâche plus délicate et je risque de te faire du mal.

ŒDIPE

Je résisterai!
(*Il ferme les yeux, détourne la tête.*)

LE SPHINX

Inutile de fermer les yeux, de détourner la tête. Car ce n'est ni par le chant, ni par le regard que j'opère. Mais, plus adroit qu'un aveugle[2], plus rapide que le filet des gladiateurs[3], plus subtil que la foudre, plus raide qu'un cocher, plus lourd qu'une vache, plus sage qu'un élève tirant la langue sur des chiffres, plus gréé, plus voilé, plus ancré, plus bercé qu'un navire, plus incorruptible qu'un juge, plus vorace que les insectes, plus sanguinaire que les oiseaux, plus nocturne que l'œuf, plus ingénieux que les bourreaux d'Asie[4], plus fourbe que le cœur, plus désin-volte qu'une main qui triche, plus fatal que les astres[5], plus attentif que le serpent qui humecte sa proie de salive; je sécrète, je tire de moi, je lâche, je dévide, je déroule, j'enroule de telle sorte qu'il me suffira de vouloir ces nœuds pour les faire et d'y penser pour les tendre ou pour les détendre; si mince qu'il t'échappe, si souple que tu t'imagineras être victime de quelque poison, si dur qu'une

---

1. *Charme* : mot employé ici au sens classique de « pouvoir magique »;
2. Allusion à l'habileté manuelle des aveugles, mais l'image prend une signifi-cation particulière, quand on sait qu'Œdipe se crèvera les yeux à l'acte IV · il sera bien « l'émule » du Sphinx; 3. *Gladiateurs* : hommes armés qui combat-taient à mort dans les jeux du cirque : l'un, le mirmillon, avait un bouclier et l'autre, le rétiaire, se servait d'un filet pour paralyser son adversaire; 4. Allusion aux raffinements des supplices chinois; 5. *Fatal* : ici, qui fixe le destin. La destinée des hommes est, dit-on, fixée par les astres (horoscope).

maladresse de ma part t'amputerait, si tendu qu'un archet obtiendrait entre nous une plainte céleste; bouclé comme la mer, la colonne, la rose, musclé comme la pieuvre, machiné comme les décors du rêve, invisible surtout, invisible et majestueux comme la circulation du sang des statues[1], un fil qui te ligote avec la volubilité[2] des arabesques folles du miel qui tombe sur du miel.

ŒDIPE

Lâchez-moi!

LE SPHINX

Et je parle, je travaille, je dévide, je déroule, je calcule, je médite, je tresse, je vanne, je tricote, je natte, je croise, je passe, je repasse, je noue et dénoue et renoue, retenant les moindres nœuds qu'il me faudra te dénouer ensuite sous peine de mort; et je serre, je desserre, je me trompe, je reviens sur mes pas, j'hésite, je corrige, enchevêtre, désenchevêtre, délace, entrelace, repars; et j'ajuste, j'agglutine, je garrotte, je sangle, j'entrave, j'accumule, jusqu'à ce que tu te sentes, de la pointe des pieds à la racine des cheveux, vêtu de toutes les boucles d'un seul reptile dont la moindre respiration coupe la tienne et te rende pareil au bras inerte[3] sur lequel un dormeur s'est endormi (27).

ŒDIPE, *d'une voix faible.*

Laissez-moi! Grâce..

LE SPHINX

Et tu demanderais grâce et tu n'aurais pas à en avoir honte, car tu ne serais pas le premier, et j'en ai entendu de plus superbes appeler leur mère, et j'en ai vu de plus insolents fondre en larmes, et les moins démonstratifs étaient encore les plus faibles car ils s'évanouissaient en route, et il me fallait imiter les embaumeurs entre les mains desquels les morts sont des ivrognes qui ne savent même plus se tenir debout!

---

1. Comme dans le film de Cocteau *le Sang d'un poète;* 2. *Volubilité,* employé ici avec le sens étymologique, devenu archaïque :· capacité de se mouvoir rapidement en rond; 3. C'est le thème de *Plain-Chant :*

> Je n'aime pas dormir quand ta figure habite
> La nuit près de mon cou,
> Car je pense à la mort laquelle vient trop vite
> Nous endormir beaucoup.

ŒDIPE

Mérope!... Maman!

LE SPHINX

Ensuite, je te commanderais d'avancer un peu et je t'aiderais en desserrant tes jambes. Là! Et je t'interrogerais. Je te demanderais par exemple : Quel est l'animal qui marche sur quatre pattes le matin, sur deux pattes à midi, sur trois pattes le soir? Et tu chercherais, tu chercherais. A force de chercher, ton esprit se poserait sur une petite médaille de ton enfance, ou tu répéterais un chiffre, ou tu compterais les étoiles entre ces deux colonnes détruites; et je te remettrais au fait en te dévoilant l'énigme.

Cet animal est l'homme qui marche à quatre pattes lorsqu'il est enfant, sur deux pattes quand il est valide, et lorsqu'il est vieux, avec la troisième patte d'un bâton.

ŒDIPE

C'est trop bête!

LE SPHINX

Tu t'écrierais : C'est trop bête! Vous le dites tous[1]. Alors puisque cette phrase confirme ton échec, j'appellerais Anubis, mon aide. Anubis!

(Anubis paraît, les bras croisés, la tête de profil, debout à droite du socle.)

ŒDIPE

Oh! Madame... Oh! Madame! Oh! non! non! non! non, Madame!

LE SPHINX

Et je te ferais mettre à genoux. Allons... Allons... là, là... Sois sage. Et tu courberais la tête... et l'Anubis s'élancerait. Il ouvrirait ses mâchoires de loup (**28**)!

(Œdipe pousse un cri.)

J'ai dit : courberais... s'élancerait... ouvrirait... N'ai-je pas toujours eu soin de m'exprimer sur ce mode? Pourquoi ce cri? Pourquoi cette face d'épouvante? C'était une démonstration, Œdipe, une simple démonstration. Tu es libre[2].

---

1. Œdipe n'est donc qu'un homme ordinaire; 2. Anubis disait au Sphinx, au début de l'acte II : «Nous ne sommes pas libres.» En fait, ici, Œdipe est libre, mais seulement d'accomplir son destin. Le Prologue dira dans *Antigone* d'Anouilh : «... elle aurait bien aimé vivre. Mais il n'y a rien à faire. Elle s'appelle Antigone et il va falloir qu'elle joue son rôle jusqu'au bout... »

ŒDIPE

Libre! *(Il remue un bras, une jambe... il se lève, il titube,
il porte la main à sa tête.)*

ANUBIS

Pardon, Sphinx. Cet homme ne peut sortir d'ici sans
subir l'épreuve.

LE SPHINX

Mais...

ANUBIS

Interroge-le...

ŒDIPE

Mais...

ANUBIS

Silence! Interroge cet homme.
(Un silence. Œdipe tourne le dos, immobile.)

LE SPHINX

Je l'interrogerai... je l'interrogerai... C'est bon. *(Avec
un dernier regard de surprise vers Anubis.)* Quel est l'animal
qui marche sur quatre pattes le matin, sur deux pattes à
midi, sur trois pattes le soir?

ŒDIPE

L'homme parbleu! qui se traîne à quatre pattes lorsqu'il
est petit, qui marche sur deux pattes lorsqu'il est grand
et qui, lorsqu'il est vieux, s'aide avec la troisième patte
d'un bâton (**29**).
(Le Sphinx roule sur le socle.)

ŒDIPE, *prenant sa course vers la droite.*

Vainqueur!
*(Il s'élance et sort par la droite. Le Sphinx glisse dans
la colonne, disparaît derrière le mur, reparaît sans ailes.)*

LE SPHINX

Œdipe! Où est-il? où est-il?

ANUBIS

Parti, envolé. Il court à perdre haleine proclamer sa
victoire[1].

---

1. Ironie du destin : en réalité, il vient d'être vaincu.

LE SPHINX

Sans un regard vers moi, sans un geste ému, sans un signe de reconnaissance.

ANUBIS

Vous attendiez-vous à une autre attitude?

LE SPHINX

L'imbécile! Il n'a donc rien compris.

ANUBIS

Rien compris.

LE SPHINX

Kss! Kss! Anubis... Tiens, tiens, regarde, cours vite mords-le, Anubis, mords-le!

ANUBIS

Tout recommence. Vous revoilà femme et me revoilà chien.

LE SPHINX

Pardon. Je perds la tête, je suis folle. Mes mains tremblent. J'ai la fièvre, je voudrais le rejoindre d'un bond, lui cracher au visage, le griffer, le défigurer, le piétiner, le châtrer, l'écorcher vif!

ANUBIS

Je vous retrouve.

LE SPHINX

Aide-moi! Venge-moi! Ne reste pas immobile.

ANUBIS

Vous détestez vraiment cet homme?

LE SPHINX

Je le déteste.

ANUBIS

S'il lui arrivait le pire, le pire vous paraîtrait encore trop doux?

LE SPHINX

Trop doux.

ANUBIS *(Il montre la robe de Sphinx.)*

Regardez les plis de cette étoffe. Pressez-les les uns contre les autres. Et maintenant, si vous traversez cette masse d'une épingle, si vous enlevez l'épingle, si vous lissez l'étoffe jusqu'à faire disparaître toute trace des anciens plis, pensez-vous qu'un nigaud de campagne puisse croire que les innombrables trous qui se répètent de distance en distance résultent d'un seul coup d'épingle (**30**)?

LE SPHINX

Certes non.

ANUBIS

Le temps des hommes est de l'éternité pliée. Pour nous il n'existe pas. De sa naissance à sa mort la vie d'Œdipe s'étale, sous mes yeux, plate, avec sa suite d'épisodes[1]

LE SPHINX

Parle, parle, Anubis, je brûle. Que vois-tu?

ANUBIS

Jadis Jocaste et Laïus eurent un enfant. L'oracle ayant annoncé que cet enfant serait un fléau...

LE SPHINX

Un fléau!

ANUBIS

Un monstre, une bête immonde...

LE SPHINX

Plus vite! plus vite!

ANUBIS

Jocaste le ligota et l'envoya perdre sur la montagne. Un berger de Polybe le trouve, l'emporte et, comme Polybe et Mérope se lamentaient d'une couche stérile...

LE SPHINX

Je tremble de joie.

ANUBIS

Ils l'adoptent. Œdipe, fils de Laïus a tué Laïus au carrefour des trois routes.

LE SPHINX

Le vieillard!

ANUBIS

Fils de Jocaste, il épousera Jocaste.

---

1. *Episodes :* parties accessoires d'un tout. Pour Anubis, tout cela est insignifiant. Ce contraste nous aide à juger l'orgueil d'Œdipe.

LE SPHINX

Et moi qui lui disais : « Elle pourrait être votre mère. » Et il répondait : « L'essentiel est qu'elle ne le soit pas. » Anubis! Anubis! C'est trop beau, trop beau.

ANUBIS

Il aura deux fils qui s'entr'égorgeront, deux filles dont une se pendra[1]. Jocaste se pendra...

LE SPHINX

Halte! Que pourrais-je espérer de plus? Songe, Anubis : les noces d'Œdipe et de Jocaste! Les noces du fils et de la mère... Et le saura-t-il vite?

ANUBIS

Assez vite.

LE SPHINX

Quelle minute! D'avance, avec délices je la savoure. Hélas! Je voudrais être là.

ANUBIS

Vous serez là.

LE SPHINX

Est-ce possible (**31**)?

ANUBIS

Le moment est venu où j'estime nécessaire de vous rappeler qui vous êtes et quelle distance risible vous sépare de cette petite forme qui m'écoute. Vous qui avez assumé le rôle du Sphinx! Vous la Déesse des Déesses! Vous la grande entre les grandes! Vous l'implacable[2]! Vous la Vengeance! Vous Némésis[3]!

(Anubis se prosterne.)

---

1. Il s'agit d'Antigone. Plus tard, après la mort d'Œdipe, quand les fils de celui-ci, Étéocle et Polynice, entreront en conflit à propos de la couronne et s'entretueront, Antigone ensevelira, malgré la défense de Créon, le corps de son frère Polynice qui avait attaqué la ville de Thèbes. Condamnée à mort de ce fait, elle est ensevelie vivante dans un tombeau, et elle s'étrangle « avec le lacet de fil de sa ceinture » (Sophocle, *Antigone*, v. 1222). Le suicide d'Antigone n'est donc qu'un moyen d'échapper à une mort plus horrible. Mais, par la bouche d'Anubis, Cocteau met en relief la similitude des moyens qu'emploie le destin pour frapper la famille d'Œdipe. Pour un dieu, qui vit en dehors du temps, l'ordre même des événements importe peu : la mort d'Antigone est évidemment postérieure à celle de Jocaste; **2.** *Implacable* : qui ne se laisse apaiser par aucune considération (sens propre); **3.** *Némésis* : déesse grecque de la Vengeance.

LE SPHINX

Némésis... *(Elle tourne le dos à la salle et reste un long moment raide, les bras en croix. Soudain elle sort de cette hypnose et s'élance vers le fond.)* Encore une fois, s'il est visible, je veux repaître ma haine, je veux le voir courir d'un piège dans un autre, comme un rat écervelé.

ANUBIS

Est-ce le cri de la déesse qui se réveille ou de la femme jalouse?

LE SPHINX

De la déesse, Anubis, de la déesse. Nos dieux m'ont distribué le rôle de Sphinx, je saurai en être digne[1].

ANUBIS

Enfin!

(Le Sphinx domine la plaine, il se penche, il inspecte. Tout à coup il se retourne. Les moindres traces de la grandeur furieuse qui viennent de le transfigurer ont disparu.)

LE SPHINX

Chien! Tu m'avais menti.

ANUBIS

Moi?

LE SPHINX

Oui toi! menteur! menteur! Regarde la route. Œdipe a rebroussé chemin, il court, il vole, il m'aime, il a compris!

ANUBIS

Vous savez fort bien, Madame, ce que vaut sa réussite et pourquoi le Sphinx n'est pas mort.

LE SPHINX

Vois-le qui saute de roche en roche comme mon cœur saute dans ma poitrine.

ANUBIS

Convaincu de son triomphe et de votre mort, ce jeune étourneau vient de s'apercevoir que, dans sa hâte, il oublie le principal.

LE SPHINX

Misérable! Tu prétends qu'il vient me chercher morte.

1. Voir plus haut, page 84, note 2.

ANUBIS

Pas vous, ma petite furie, le Sphinx. Il croit avoir tué le Sphinx ; il faut qu'il le prouve. Thèbes ne se contenterait pas d'une histoire de chasse.

LE SPHINX

Tu mens ! Je lui dirai tout ! Je le préviendrai ! Je le sauverai. Je le détournerai de Jocaste, de cette ville maudite... (**32**)

ANUBIS

Prenez garde.

LE SPHINX

Je parlerai.

ANUBIS

Il entre. Laissez-le parler avant.
(Œdipe, essoufflé, entre par le premier plan à droite. Il voit le Sphinx et Anubis debout, côte à côte.)

ŒDIPE, *saluant.*

Je suis heureux, Madame, de voir la bonne santé dont les immortels jouissent après leur mort.

LE SPHINX

Que venez-vous faire en ces lieux ?

ŒDIPE

Chercher mon dû. *(Mouvement de colère d'Anubis du côté d'Œdipe qui recule.)*

LE SPHINX

Anubis !
(D'un geste elle lui ordonne de la laisser seule. Il s'écarte derrière les ruines. A Œdipe :)
Vous l'aurez. Restez où vous êtes. Le vaincu est une femme. Il demande au vainqueur une dernière grâce.

ŒDIPE

Excusez-moi d'être sur mes gardes. Vous m'avez appris à me méfier de vos ruses féminines

LE SPHINX

J'étais le Sphinx ! Non, Œdipe... Vous ramènerez ma dépouille à Thèbes et l'avenir vous récompensera... selon vos mérites. Non... Je vous demande simplement de me laisser disparaître derrière ce mur afin d'ôter ce corps dans lequel je me trouve, l'avouerais-je, depuis quelques minutes,... un peu à l'étroit.

ŒDIPE

Soit! Mais dépêchez-vous. La dernière fanfare... *(On entend les trompettes.)* Tenez, j'en parle, elle sonne. Il ne faudrait pas que je tarde.

LE SPHINX, *caché.*

Thèbes ne laissera pas à la porte un héros[1].

LA VOIX D'ANUBIS, *derrière les ruines.*

Hâtez-vous. Hâtez-vous... Madame. On dirait que vous mventez des prétextes et que vous traînez exprès.

LE SPHINX, *caché.*

Suis-je la première, Dieu des morts, que tu doives tirer par sa robe?

ŒDIPE

Vous gagnez du temps, Sphinx.

LE SPHINX, *caché.*

N'en accusez que votre chance, Œdipe. Ma hâte vous eût joué un mauvais tour. Car une grave difficulté se présente. Si vous rapportez à Thèbes le cadavre d'une jeune fille, en place du monstre auquel les hommes s'attendent. la foule vous lapidera.

ŒDIPE

C'est juste! Les femmes sont étonnantes; elles pensent à tout.

LE SPHINX, *caché.*

Ils m'appellent : la vierge à griffes... La chienne qui chante... Ils veulent reconnaître mes crocs. Ne vous inquiétez pas. Anubis! Mon chien fidèle! Écoute, puisque nos figures ne sont que des ombres, il me faut ta tête de chacal.

ŒDIPE

Excellent!

ANUBIS, *caché.*

Faites ce qu'il vous plaira pourvu que cette honteuse comédie finisse, et que vous puissiez revenir à vous.

---

1. La remarque est ironique aussi pour les spectateurs, qui ont vu comment on fait un héros.

LE SPHINX, *caché.*

Je ne serai pas longue.

ŒDIPE

Je compte jusqu'à cinquante comme tout à l'heure[1]. C'est ma revanche.

ANUBIS, *caché.*

Madame, Madame, qu'attendez-vous encore?

LE SPHINX

Me voilà laide, Anubis. Je suis un monstre!... Pauvre gamin... si je l'effraye...

ANUBIS

Il ne vous verra même pas, soyez tranquille.

LE SPHINX

Est-il donc aveugle[2]?

ANUBIS

Beaucoup d'hommes naissent aveugles et ils ne s'en aperçoivent que le jour où une bonne vérité leur crève les yeux.

ŒDIPE

Cinquante!

ANUBIS, *caché.*

Allez... Allez...

LE SPHINX, *caché.*

Adieu, Sphinx!

(*On voit sortir de derrière le mur, en chancelant, la jeune fille à tête de chacal. Elle bat l'air de ses bras et tombe.*)

ŒDIPE

Il était temps! (*Il s'élance, ne regarde même pas, ramasse le corps et se campe au premier plan à gauche. Il porte le corps en face de lui, à bras tendus.*) Pas ainsi! Je ressemblerais à ce tragédien de Corinthe que j'ai vu jouer un roi et porter le corps de son fils. La pose était pompeuse et n'émouvait personne.

(*Il essaye de tenir le corps sous son bras gauche ; derrière les ruines, sur le monticule, apparaissent deux formes géantes couvertes de voiles irisés : les dieux.*)

---

1. Ironie tragique : au moment où Œdipe part vers son destin, on compte comme le font les enfants dans les jeux de cache-cache; 2. Comme Tirésias maintenant, comme lui plus tard.

ŒDIPE

Non! Je serais ridicule. On dirait un chasseur qui rentre bredouille après avoir tué son chien.

ANUBIS *(La forme de droite.)*

Pour que les derniers miasmes humains abandonnent votre corps de déesse, sans doute serait-il bon que cet Œdipe vous désinfecte[1] en se décernant au moins un titre de demi-dieu.

NÉMÉSIS *(La forme de gauche.)*

Il est si jeune...

ŒDIPE

Hercule! Hercule jeta le lion sur son épaule!... *(Il charge le corps sur son épaule.)* Oui, sur mon épaule! Sur mon épaule! Comme un demi-dieu (**33**)!

ANUBIS, *voilé.*

Il est for-mi-dable.

ŒDIPE, *se met en marche vers la droite, faisant deux pas après chacune de ses actions de grâces.*

J'ai tué la bête immonde[2].

NÉMÉSIS, *voilée.*

Anubis... Je me sens très mal à l'aise.

ANUBIS

Il faut partir.

ŒDIPE

J'ai sauvé la ville!

ANUBIS

Allons, venez, venez, Madame.

ŒDIPE

J'épouserai la reine Jocaste!

NÉMÉSIS, *voilée.*

Les pauvres, pauvres, pauvres hommes... Je n'en peux plus, Anubis... J'étouffe. Quittons la terre.

ŒDIPE

Je serai roi (**34**)!

(Une rumeur enveloppe les deux grandes formes. Les voiles volent autour d'elles. Le jour se lève. On entend des coqs.)

1. Voir pages 52, 55, notes 1; 2. Voir page 44, note 2

ACTE III

LA NUIT DE NOCES

LA VOIX

Depuis l'aube, les fêtes du couronnement et des noces se succèdent. La foule vient d'acclamer une dernière fois la Reine et le vainqueur du Sphinx.

Chacun rentre chez soi. On n'entend plus, sur la petite place du palais royal, que le bruit d'une fontaine. Œdipe et Jocaste se trouvent enfin tête à tête dans la chambre nuptiale. Ils dorment debout, et, malgré quelque signe d'intelligence et de politesse du destin, le sommeil les empêchera de voir la trappe qui se ferme sur eux pour toujours.

DÉCOR

L'estrade représente la chambre de Jocaste, rouge comme une petite boucherie au milieu des architectures de la ville. Un large lit couvert de fourrures blanches. Au pied du lit une peau de bête. A gauche du lit, un berceau.

Au premier plan à gauche, une baie grillagée donne sur une place de Thèbes. Au premier plan à droite un miroir mobile de taille humaine.

Œdipe et Jocaste portent les costumes du couronnement. Dès le lever du rideau ils se meuvent dans le ralenti d'une extrême fatigue.

JOCASTE

Ouf! je suis morte! tu es tellement actif! J'ai peur que cette chambre te devienne une cage, une prison.

ŒDIPE

Mon cher amour! Une chambre de femme! Une chambre qui embaume, ta chambre! Après cette journée éreintante, après ces cortèges, ce cérémonial, cette foule qui continuait encore à nous acclamer sous nos fenêtres...

JOCASTE

Pas à nous acclamer... à t'acclamer, toi.

ŒDIPE

C'est pareil.

JOCASTE

Il faut être véridique, petit vainqueur. Ils me détestent. Mes robes les agacent, mon accent les agace[1], mon noir aux yeux les agace, mon rouge aux lèvres les agace, ma vivacité les agace.

ŒDIPE

Créon les agace! Créon le sec, le dur, l'inhumain. Je relèverai ton prestige. Ah! Jocaste, quel beau programme!

JOCASTE

Il était temps que tu viennes, je n'en peux plus.

ŒDIPE

Ta chambre, une prison! ta chambre... et notre lit.

JOCASTE

Veux-tu que j'ôte le berceau[2]? Depuis la mort de l'enfant, il me le fallait près de moi, je ne pouvais pas dormir... j'étais trop seule... Mais maintenant...

ŒDIPE, *d'une voix confuse.*

Mais maintenant...

JOCASTE

Que dis-tu?

ŒDIPE

Je dis... je dis... que c'est lui... lui... le chien... je veux dire... le chien qui refuse... le chien... le chien fontaine (**35**).
  (Sa tête tombe.)

JOCASTE

Œdipe! Œdipe!

ŒDIPE, *réveillé en sursaut.*

Hein?

JOCASTE

Tu t'endormais!

ŒDIPE

Moi? pas du tout.

---

1. Cf. page 39, note 1; **2.** Le berceau d'Œdipe enfant: même les choses participent à l'ironie tragique.

JOCASTE

Si. Tu me parlais de chien, de chien qui refuse, de chien fontaine; et moi je t'écoutais.

(Elle rit et semble, elle-même, tomber dans le vague.)

ŒDIPE

C'est absurde!

JOCASTE

Je te demande si tu veux que j'ôte le berceau, s'il te gêne...

ŒDIPE

Suis-je un gamin pour craindre ce joli fantôme de mousseline? Au contraire il sera le berceau de ma chance. Ma chance y grandira près de notre amour, jusqu'à ce qu'il serve à notre premier fils. Alors!...

JOCASTE

Mon pauvre adoré... Tu meurs de fatigue et nous restons là... debout *(même jeu qu'Œdipe)*, debout sur ce mur...

ŒDIPE

Quel mur?

JOCASTE

Ce mur de ronde (**36**). *(Elle sursaute.)* Un mur... Hein? Je... je... *(Hagarde.)* Qu'y a-t-il?

ŒDIPE, *riant.*

Eh bien! cette fois c'est toi qui rêves[1]. Nous dormons debout, ma pauvre chérie.

JOCASTE

J'ai dormi? J'ai parlé?

ŒDIPE

Je te parle de chien fontaine, tu me parles de mur de ronde : voilà notre nuit de noces. Écoute Jocaste, je te supplie (tu m'écoutes?) s'il m'arrive de m'endormir encore, je te supplie de me réveiller, de me secouer, et si tu t'endors, je ferai de même. Il ne faut pas que cette nuit unique sombre dans le sommeil. Ce serait trop triste.

---

1. Le rêve de Jocaste, comme celui d'Œdipe, se situe à mi-chemin de l'hallucination, rappelle le passé et annonce l'avenir. C'est le rôle traditionnel du songe tragique (cf. celui de Pauline dans *Polyeucte* celui d'*Athalie*).

TIRÉSIAS

Jeunesse bouillante! vous m'avez mal compris.

ŒDIPE

J'ai fort bien compris qu'un aventurier vous gêne. Sans doute espérez-vous que j'ai trouvé le Sphinx mort sur ma route. Le vrai vainqueur a dû me le vendre comme à ces chasseurs qui achètent le lièvre au braconnier[1]. Et si j'ai payé la dépouille, que découvrirez-vous en fin de compte, comme vainqueur du Sphinx? Ce qui vous menaçait chaque minute et ce qui empêchait Créon de dormir : un pauvre soldat de seconde classe que la foule porterait en triomphe et qui réclamerait son dû... *(criant)* son dû!

TIRÉSIAS

Il n'oserait pas.

ŒDIPE

Enfin! Je vous l'ai fait dire. Le voilà, le mot de la farce. Les voilà, vos belles promesses. Voilà donc sur quoi vous comptiez.

TIRÉSIAS

La reine est plus que ma propre fille. Je dois la surveiller et la défendre. Elle est faible, crédule, romanesque...

ŒDIPE

Vous l'insultez, ma parole.

TIRÉSIAS

Je l'aime.

ŒDIPE

Elle n'a plus besoin que de mon amour.

TIRÉSIAS

C'est au sujet de cet amour, Œdipe, que j'exige une explication. Aimez-vous la reine?

ŒDIPE

De toute mon âme.

TIRÉSIAS

J'entends : Aimez-vous la prendre dans vos bras?

---

1. La comparaison est burlesque, mais elle cache une réalité extrêmement grave : semblable au chasseur qui a manqué son gibier, Œdipe n'aurait pas vaincu le Sphinx si celui-ci ne lui avait pas donné la solution de l'énigme à l'avance.

ŒDIPE

J'aime surtout qu'elle me prenne dans les siens.

TIRÉSIAS

Je vous sais gré de cette nuance. Vous êtes jeune, Œdipe, très jeune. Jocaste pourrait être votre mère. Je sais, je sais, vous allez me répondre...

ŒDIPE

Je vais vous répondre que j'ai toujours rêvé d'un amour de ce genre, d'un amour presque maternel (**39**).

TIRÉSIAS

Œdipe, ne confondez-vous pas la gloire et l'amour? Aimeriez-vous Jocaste si elle ne régnait pas?

ŒDIPE

Question stupide et cent fois posée. Jocaste m'aimerait-elle si j'étais vieux, laid, si je ne sortais pas de l'inconnu? Croyez-vous qu'on ne puisse prendre le mal d'amour en touchant l'or et la pourpre? Les privilèges dont vous parlez ne sont-ils pas la substance même de Jocaste et si étroitement enchevêtrés à ses organes qu'on ne puisse les désunir. De toute éternité nous appartenions l'un à l'autre. [...] Je l'aime, je l'adore, Tirésias; auprès d'elle il me semble que j'occupe enfin ma vraie place. C'est ma femme, c'est ma reine. Je l'ai, je la garde, je la retrouve, et ni par les prières ni par les menaces, vous n'obtiendrez que j'obéisse à des ordres venus je ne sais d'où.

TIRÉSIAS

Réfléchissez encore, Œdipe. Les présages et ma propre sagesse me donnent tout à craindre de ces noces extravagantes; réfléchissez.

ŒDIPE

Il serait un peu tard.

TIRÉSIAS

Avez-vous l'expérience des femmes?

ŒDIPE

Pas la moindre. Et même je vais porter votre surprise à son comble et me couvrir de ridicule à vos yeux : je suis vierge!

TIRÉSIAS

Vous!

ŒDIPE

Le pontife d'une capitale s'étonne qu'un jeune campagnard mette son orgueil à se garder pur pour une offrande unique. Vous eussiez préféré pour la reine un prince dégénéré, un pantin dont Créon et les prêtres tireraient les ficelles.

TIRÉSIAS

C'en est trop!

ŒDIPE

Encore une fois, je vous ordonne...

TIRÉSIAS

Ordonne? L'orgueil vous rend-il fou!

ŒDIPE

Ne me mettez pas en colère. Je suis à bout de patience, irascible, capable de n'importe quel acte irréfléchi.

TIRÉSIAS

Orgueilleux!... Faible et orgueilleux (**40**).

ŒDIPE

Vous l'aurez voulu.

(Il se jette sur Tirésias les mains autour du cou[1].)

TIRÉSIAS

Laissez-moi... N'avez-vous pas honte?...

ŒDIPE

Vous craignez que sur votre face, là, là, de tout près et dans vos yeux d'aveugle, je lise la vraie vérité de votre conduite.

TIRÉSIAS

Assassin! Sacrilège!

ŒDIPE

Assassin! je devrais l'être... J'aurai sans doute un jour à me repentir[2] d'un respect absurde et si j'osais... Oh! oh! mais! Dieux! ici... ici... dans ses yeux d'aveugle, je ne savais pas que ce fût possible.

---

1. Ce geste ramène dans l'action le thème macabre de la « strangulation », auquel va succéder, tout de suite après, celui de la cécité; **2.** Œdipe ne croit pas si bien dire, lui qui s'aveuglera à la fin de la tragédie.

TIRÉSIAS

Lâchez-moi! Brute!

ŒDIPE

L'avenir! mon avenir, comme dans une boule de cristal.

TIRÉSIAS

Vous vous repentirez...

ŒDIPE

Je vois, je vois... Tu as menti, devin! J'épouserai Jocaste...
Une vie heureuse, riche, prospère, deux fils... des filles...
et Jocaste toujours aussi belle, toujours la même, une
amoureuse, une mère dans un palais de bonheur... Je vois
mal, je vois mal, je veux voir! C'est ta faute, devin... Je
veux voir!

(Il le secoue.)

TIRÉSIAS

Maudit!

ŒDIPE, *se rejetant brusquement en arrière, lâchant Tirésias
et les mains sur les yeux.*

Ah! sale bête! Je suis aveugle. Il m'a lancé du poivre.
Jocaste! au secours! au secours!...

TIRÉSIAS

Je n'ai rien lancé. Je le jure. Vous êtes puni de votre
sacrilège.

ŒDIPE *(Il se roule par terre.)*

Tu mens (**41**)!

TIRÉSIAS

Vous avez voulu lire de force ce que contiennent mes
yeux malades, ce que moi-même je n'ai pas déchiffré
encore, et vous êtes puni.

ŒDIPE

De l'eau, de l'eau, vite, je brûle...

TIRÉSIAS, *il lui impose les mains sur le visage.*

Là, là. Soyez sage... je vous pardonne. Vous êtes nerveux.
Restez tranquille, par exemple. Vous y verrez, je vous le
jure. Sans doute êtes-vous arrivé à un point que les Dieux
veulent garder obscur ou bien vous punissent-ils de votre
impudence.

ŒDIPE

J'y vois un peu... on dirait.

TIRÉSIAS

Souffrez-vous ?

ŒDIPE

Moins... la douleur se calme. Ah !... c'était du feu, du poivre rouge, mille épingles, une patte de chat qui me fouillait l'œil. Merci...

TIRÉSIAS

Voyez-vous ?

ŒDIPE

Mal, mais je vois, je vois. Ouf! J'ai bien cru que j'étais aveugle et que c'était un tour de votre façon, Je l'avais mérité, du reste (**42**).

TIRÉSIAS

Il fait beau croire aux prodiges lorsque les prodiges nous arrangent et lorsque les prodiges nous dérangent, il fait beau ne plus y croire et que c'est un artifice du devin.

ŒDIPE

Pardonnez-moi. Je suis de caractère emporté, vindicatif. J'aime Jocaste; je l'attendais, je m'impatientais, et ce phénomène inconnu, toutes ces images de l'avenir dans vos prunelles me fascinaient, m'affolaient; j'étais comme ivre.

TIRÉSIAS

Y voyez-vous clair ? C'est presque un aveugle qui vous le demande.

ŒDIPE

Tout à fait et je ne souffre plus. J'ai honte, ma foi, de ma conduite envers un infirme et un prêtre. Voulez-vous accepter mes excuses ?

TIRÉSIAS

Je ne parlais que pour le bien de Jocaste et pour votre bien.

ŒDIPE

Tirésias, je vous dois en quelque sorte une revanche, un aveu qui m'est dur et que je m'étais promis de ne faire à personne.

TIRÉSIAS

Un aveu ?

ŒDIPE

J'ai remarqué au cours de la cérémonie du sacre des signes d'intelligence entre vous et Créon. Ne niez pas (**43**). Voilà. Je désirais tenir mon identité secrète; j'y renonce. Ouvrez vos oreilles, Tirésias. Je ne suis pas un vagabond. J'arrive de Corinthe. Je suis l'enfant unique du roi Polybe et de la reine Mérope. Un inconnu ne souillera pas cette couche. Je suis roi et fils de roi.

TIRÉSIAS

Monseigneur. *(Il s'incline.)* Il était si simple de dissiper d'une phrase le malaise de votre incognito. Ma petite fille sera si contente...

ŒDIPE

Halte! je vous demande en grâce de sauvegarder au moins cette dernière nuit. Jocaste aime encore en moi le vagabond tombé du ciel, le jeune homme surgi de l'ombre. Demain, hélas, on aura vite fait de détruire ce mirage[1]. Entre temps, je souhaite que la reine me devienne assez soumise pour apprendre sans dégoût qu'Œdipe n'est pas un prince de lune, mais un pauvre prince tout court.

Je vous souhaite le bonsoir, Tirésias. Jocaste ne tardera plus. Je tombe de fatigue... et nous voulons rester tête à tête. C'est notre bon plaisir.

TIRÉSIAS

Monseigneur, je m'excuse. *(Œdipe lui fait un signe de la main. A la sortie de droite Tirésias s'arrête.)* Un dernier mot.

ŒDIPE, *avec hauteur*

Plaît-il?

TIRÉSIAS

Pardonnez mon audace. Ce soir, après la fermeture du temple, une belle jeune fille entra dans l'oratoire où je travaille et, sans s'excuser (**44**), me tendit cette ceinture en disant : « Remettez-la au seigneur Œdipe et répétez-lui textuellement cette phrase : Prenez cette ceinture; elle vous permettra de venir jusqu'à moi lorsque j'aurai tué la bête. » A peine avais-je empoché la ceinture que la jeune fille éclata de rire et disparut sans que je puisse comprendre par où.

---

1. *Mirage :* chose que l'on croit voir, mais qui n'existe pas; ce mirage sera en effet détruit, mais non de la façon imaginée par Œdipe.

ŒDIPE *(Il lui arrache la ceinture.)*

Et c'était votre dernière carte. Déjà vous échafaudiez tout un système pour me perdre dans l'esprit et dans le cœur de la reine. Que sais-je ? Une promesse antérieure de mariage... Une jeune fille qui se venge... Le scandale du temple... l'objet révélateur...

TIRÉSIAS

Je m'acquitte d'une commission. Voilà tout.

ŒDIPE

Faute de calcul, méchante politique. Allez... portez en hâte ces mauvaises nouvelles au prince Créon.

(Tirésias reste sur le seuil.)

Il comptait me faire peur ! Et c'est moi qui vous fais peur en vérité, Tirésias, moi qui vous effraye. Je le vois écrit en grosses lettres sur votre visage. L'enfant n'était pas si facile à terroriser. Dites que c'est l'enfant qui vous effraye, grand-père ? Avouez, grand-père ! Avouez que je vous effraye ! Avouez donc que je vous fais peur !

(Œdipe est à plat ventre sur la peau de bête. Tirésias, debout, comme en bronze. Un silence. Le tonnerre.)

TIRÉSIAS

Oui. Très peur.

(Il sort à reculons. On entend sa voix qui vaticine[1].)

Œdipe ! Œdipe ! écoutez-moi. Vous poursuivez une gloire classique. Il en existe une autre : la gloire obscure. C'est la dernière ressource de l'orgueilleux qui s'obstine contre les astres (**45**).

(Œdipe resté regarde la ceinture. Lorsque Jocaste entre, en robe de nuit, il cache vite la ceinture sous la peau de bête.)

JOCASTE

Eh bien ? Qu'a dit le croquemitaine ? Il a dû te torturer.

ŒDIPE

Oui... non..

JOCASTE

C'est un monstre. Il a dû te démontrer que tu étais trop jeune pour moi.

---

1. *Vaticiner* : parler comme un prophète.

ŒDIPE

Tu es belle, Jocaste!...

JOCASTE

...Que j'étais vieille

ŒDIPE

Il m'a plutôt laissé entendre que j'aimais tes perles, ton diadème.

JOCASTE

Toujours abîmer tout! Gâcher tout! Faire du mal!

ŒDIPE

Il n'a pas réussi à m'effrayer, sois tranquille. Au contraire, c'est moi qui l'effraye. Il en a convenu.

JOCASTE

C'est bien fait! Mon amour! Toi, mes perles, mon diadème.

ŒDIPE

Je suis heureux de te revoir sans aucune pompe, sans tes bijoux, sans tes ordres, simple, blanche, jeune, belle, dans notre chambre d'amour.

JOCASTE

Jeune! Œdipe... Il ne faut pas de mensonges...

ŒDIPE

Encore..

JOCASTE

Ne me gronde pas.

ŒDIPE

Si, je te gronde! Je te gronde, parce qu'une femme telle que toi devrait être au-dessus de ces bêtises. Un visage de jeune fille, c'est l'ennui d'une page blanche où mes yeux ne peuvent rien lire d'émouvant; tandis que ton visage! Il me faut les cicatrices, les tatouages du destin, une beauté qui sorte des tempêtes. Tu redoutes la patte d'oie[1], Jocaste! Que vaudrait un regard, un sourire de petite oie, auprès de ta figure étonnante, sacrée; giflée par le sort, marquée par le bourreau, et tendre, tendre et... *(Il s'aperçoit que Jocaste pleure.)* Jocaste! ma petite fille!

---

1. *Patte d'oie* : rides en éventail qui se forment avec l'âge aux coins externes des yeux.

tu pleures! Mais qu'est-ce qu'il y a?... Allons, bon...
Qu'est-ce que j'ai fait? Jocaste!...

JOCASTE

Suis-je donc si vieille... si vieille?

ŒDIPE

Chère folle! C'est toi qui t'acharnes...

JOCASTE

Les femmes disent ces choses pour qu'on les contredise.
Elles espèrent toujours que ce n'est pas vrai.

ŒDIPE

Ma Jocaste!... Et moi stupide! Quel ours infect... Ma
chérie... Calme-toi, embrasse-moi... J'ai voulu dire...

JOCASTE

Laisse... Je suis grotesque[1]. *(Elle se sèche les yeux.)*

ŒDIPE

C'est ma faute.

JOCASTE

Ce n'est pas ta faute... Là... j'ai du noir dans l'œil[2],
maintenant **(46)**. *(Œdipe la cajole.)* C'est fini.

ŒDIPE

Vite un sourire. *(Léger roulement de tonnerre.)* Écoute...

JOCASTE

Je suis nerveuse à cause de l'orage.

ŒDIPE

Le ciel est si étoilé, si pur.

JOCASTE

Oui, mais il y a de l'orage quelque part. Quand la fontaine fait une espèce de bruit comme du silence, et que
j'ai mal à l'épaule, il y a de l'orage et des éclairs de chaleur.
(Elle s'appuie contre la baie. Éclair de chaleur.)

ŒDIPE

Viens, viens vite...

---

1. *Grotesque :* ridicule à l'extrême; mais ici le sens littéraire du mot, « comique
qui contrefait et déforme la nature », s'impose au spectateur, sans que Jocaste
et Œdipe en soient conscients; **2.** Le fard de ses yeux a été dilué par les
larmes; mais, dans cette tragédie dominée par la menace de la cécité et de
l'aveuglement, l'expression prend un sens ambigu.

JOCASTE

Œdipe !... viens une minute.

ŒDIPE

Qu'y a-t-il ?...

JOCASTE

Le factionnaire... regarde, penche-toi. Sur le banc, à droite, il dort. Tu ne trouves pas qu'il est beau, ce garçon, avec sa bouche ouverte ?

ŒDIPE

Je vais lui apprendre à dormir en jetant de l'eau dans sa bouche ouverte !

JOCASTE

Œdipe !

ŒDIPE

On ne dort pas quand on garde sa reine.

JOCASTE

Le Sphinx est mort et tu vis. Qu'il dorme en paix ! Que toute la ville dorme en paix. Qu'ils dorment tous !

ŒDIPE

Ce factionnaire a de la chance.

JOCASTE

Œdipe ! Œdipe ! J'aimerais te rendre jaloux, mais ce n'est pas cela... Ce jeune garde...

ŒDIPE

Qu'a-t-il donc de si particulier ce jeune garde ?

JOCASTE

Pendant la fameuse nuit, la nuit du Sphinx, pendant que tu rencontrais la bête, j'avais fait une escapade sur les remparts, avec Tirésias. On m'avait dit qu'un soldat avait vu le spectre de Laïus et que Laïus m'appelait, voulait me prévenir d'un danger qui me menace[1]. Eh bien... le soldat était justement cette sentinelle qui nous garde.

ŒDIPE

Qui nous garde !... Au reste... qu'il dorme en paix, bonne Jocaste. Je te garderai bien tout seul. Naturellement pas le moindre spectre de Laïus.

1. La succession des temps est révélatrice : le danger *menace*, au présent.

JOCASTE

Pas le moindre, hélas!... Le pauvret! je lui touchais les épaules, les jambes, je disais à Zizi « touche, touche », j'étais bouleversée... parce qu'il te ressemblait[1]. Et c'est vrai qu'il te ressemble, Œdipe.

ŒDIPE

Tu dis : ce garde te ressemblait. Mais Jocaste, tu ne me connaissais pas encore; il était impossible que tu saches, que tu devines...

JOCASTE

C'est vrai, ma foi. Sans doute ai-je voulu dire que mon fils aurait presque son âge. *(Silence.)* Oui... j'embrouille. C'est seulement maintenant que cette ressemblance me saute aux yeux. *(Elle secoue ce malaise.)* Tu es bon, tu es beau, je t'aime. *(Après une pose.)* Œdipe!

ŒDIPE

Ma déesse (**47**)?

JOCASTE

A Créon, à Zizi, à tous, j'approuve que tu refuses de raconter ta victoire *(les bras autour de son cou)* mais à moi... à moi!

ŒDIPE, *se dégageant.*

J'avais ta promesse!... Et sans ce garçon...

JOCASTE

La Jocaste d'hier est-elle ta Jocaste de maintenant? N'ai-je pas le droit de partager tes souvenirs sans que personne d'autre s'en doute?

ŒDIPE

Certes.

JOCASTE

Et souviens-toi, tu répétais : non, non, Jocaste, plus tard, plus tard, lorsque nous serons dans notre chambre d'amour. Eh bien? sommes-nous dans notre chambre d'amour...

ŒDIPE

Entêtée! Sorcière! Elle arrive toujours à ce qu'elle veut. Alors ne bouge plus... je commence.

1. Cf. page 54, note 3.

JOCASTE

Oh! Œdipe! Œdipe! Quelle chance! Quelle chance! je ne bouge plus.

(*Jocaste se couche, ferme les yeux et ne bouge plus. Œdipe ment, il invente, hésite, accompagné par l'orage.*)

ŒDIPE

Voilà. J'approchais de Thèbes. Je suivais le sentier de chèvres qui longe la colline, au sud de la ville. Je pensais à l'avenir, à toi, que j'imaginais moins belle que tu n'es en réalité, mais très belle, très peinte et assise sur un trône au centre d'un groupe de dames d'honneur. Admettons que je le tue, pensai-je, Œdipe oserait-il accepter la récompense promise? Oserai-je approcher la reine?... Et je marchais, et je me tourmentais, et tout à coup je fis halte. Mon cœur sautait dans ma poitrine. Je venais d'entendre une sorte de chant. La voix qui chantait n'était pas de ce monde. Était-ce le Sphinx? Mon sac de route contenait un couteau. Je glissai ce couteau sous ma tunique et je rampai.

Connais-tu, sur la colline, les restes d'un petit temple avec un socle et la croupe d'une chimère (**48**)?

(*Silence.*)

Jocaste... Jocaste... Tu dors?...

JOCASTE, *réveillée en sursaut.*

Hein? Œdipe...

ŒDIPE

Tu dormais.

JOCASTE

Mais non.

ŒDIPE

Mais si! En voilà une petite fille capricieuse[1] qui exige qu'on lui raconte des histoires et qui s'endort au lieu de les écouter.

JOCASTE

J'ai tout entendu. Tu te trompes. Tu parlais d'un sentier de chèvres.

---

1. *Capricieux* : proprement, qui se conduit d'une façon imprévisible, comme un chevreau. Il y a donc un curieux lien étymologique avec le « sentier de chèvres » que vient d'évoquer Œdipe.

ŒDIPE

Il était loin le sentier de chèvres!...

JOCASTE

Mon chéri, ne te vexe pas. Tu m'en veux?...

ŒDIPE

Moi?

JOCASTE

Si! tu m'en veux et c'est justice. Triple sotte! Voilà l'âge et ses tours!

ŒDIPE

Ne t'attriste pas. Je recommencerai le récit, je te le jure, mais il faut toi et moi nous étendre côte à côte et dormir un peu. Ensuite, nous serions sortis de cette glu et de cette lutte contre le sommeil qui abîme tout. Le premier réveillé réveillera l'autre. C'est promis?

JOCASTE

C'est promis. Les pauvres reines savent dormir, assises, une minute, entre deux audiences[1]. Seulement donne-moi ta main. Je suis trop vieille. Tirésias avait raison.

ŒDIPE

Peut-être pour Thèbes où les jeunes filles sont nubiles à treize ans. Et moi alors? Suis-je un vieillard? Ma tête tombe; c'est mon menton qui me réveille en heurtant ma poitrine.

JOCASTE

Toi, ce n'est pas pareil, c'est le marchand de sable comme disent les petits! Mais moi? Tu me commençais enfin la plus belle histoire du monde et je somnole comme une grand-mère au coin du feu. Et tu me puniras en ne recommençant plus, en trouvant des prétextes... J'ai parlé?

ŒDIPE

Parlé? Non, non. Je te croyais attentive. Méchante! As-tu des secrets que tu craignes de me livrer pendant ton sommeil?

JOCASTE

Je craignais simplement ces phrases absurdes qu'il nous arrive de prononcer endormis.

1. *Audience :* séance où un personnage de haut rang écoute ceux qu'il reçoit.

ŒDIPE

Tu reposais, sage comme une image. A tout de suite, ma petite reine.

JOCASTE

A tout de suite, mon roi, mon amour.

(*La main dans la main, côte à côte, ils ferment les yeux et tombent dans le sommeil écrasant des personnes qui luttent contre le sommeil. Un temps. La fontaine monologue. Léger tonnerre. Tout à coup l'éclairage devient un éclairage de songe. C'est le songe d'Œdipe. La peau de bête se soulève. Elle coiffe l'Anubis qui se dresse. Il montre la ceinture au bout de son bras tendu. Œdipe s'agite, se retourne.*)*

ANUBIS, *d'une voix lente, moqueuse.*

J'ai fait, grâce à ma triste enfance, des études qui me procurent bien des avantages sur les garnements de Thèbes et je ne pense pas que le monstre naïf s'attende à se trouver face à face avec l'élève des meilleurs lettrés de Corinthe. Mais si vous m'avez joué un tour, je vous tirerai par les cheveux. (*Jusqu'au hurlement.*) Je vous tirerai par les cheveux, je vous tirerai par les cheveux, je vous pincerai jusqu'au sang!... je vous pincerai jusqu'au sang!...

JOCASTE (*Elle rêve.*)

Non, pas cette pâte, pas cette pâte immonde[1]...

ŒDIPE, *d'une voix sourde, lointaine.*

Je compte jusqu'à cinquante : un, deux, trois, quatre, huit, sept, neuf, dix, dix, onze, quatorze, cinq, deux, quatre, sept, quinze, quinze, quinze, quinze, trois, quatre...

ANUBIS

Et l'Anubis s'élancerait. Il ouvrirait ses mâchoires de loup!

(*Il s'évanouit sous l'estrade. La peau de bête reprend son aspect normal.*)

ŒDIPE

A l'aide! Au secours! au secours! à moi. Venez tous! à moi!

---

1. Cf. page 44, ligne 12 et suivantes, ainsi que la note 2.

JOCASTE

Hein? Qu'y a-t-il? Œdipe! mon chéri! Je dormais comme une masse! Réveille-toi!

(Elle le secoue.)

ŒDIPE, *se débattant et parlant au Sphinx.*

Oh! madame... Oh! madame, madame! Grâce, madame! Non! Non! Non! Non madame!

JOCASTE

Mon petit, ne m'angoisse pas. C'est un rêve. C'est moi, moi Jocaste, ta femme Jocaste.

ŒDIPE

Non! non! *(Il s'éveille.)* Où étais-je? Quelle horreur! Jocaste, c'est toi... Quel cauchemar, quel cauchemar horrible.

JOCASTE

Là, là, c'est fini, tu es dans notre chambre, dans mes bras...

ŒDIPE

Tu n'as rien vu? C'est vrai, je suis stupide, c'était cette peau de bête... Ouf! J'ai dû parler? De quoi ai-je parlé?

JOCASTE

A ton tour! Tu criais : Madame! Non, non madame! Non madame. Grâce madame! Quelle était cette méchante dame?

ŒDIPE

Je ne me souviens plus. Quelle nuit!

JOCASTE

Et moi? Tes cris m'ont sauvée d'un cauchemar sans nom. Regarde! tu es trempé, inondé de sueur. C'est ma faute. Je t'ai laissé t'endormir avec ces étoffes lourdes, ces colliers d'or, ces agrafes, ces sandales qui coupent les chevilles... *(Elle le soulève, il retombe.)* Allons! quel gros bébé! il est impossible de te laisser dans toute cette eau. Ne te fais pas lourd, aide-moi...

(Elle le soulève, lui ôte sa tunique et le frotte.)

ŒDIPE, *encore dans le vague.*

Oui, ma petite mère chérie...

JOCASTE, *l'imitant.*

Oui, ma petite mère chérie... Quel enfant! Voilà qu'il me prend pour sa mère.

ŒDIPE, *réveillé.*

Oh, pardon, Jocaste, mon amour, je suis absurde. Tu vois, je dors à moitié, je mélange tout. J'étais à mille lieues, auprès de ma mère qui trouve toujours que j'ai trop froid ou trop chaud. Tu n'es pas fâchée?

JOCASTE

Qu'il est bête! Laisse-toi faire et dors. Toujours il s'excuse, il demande pardon. Quel jeune homme poli, ma parole! Il a dû être choyé par une maman très bonne, trop bonne, et on la quitte, voilà. Mais je n'ai pas à m'en plaindre et je l'aime de tout mon cœur d'amoureuse la maman qui t'a dorloté, qui t'a gardé, qui t'a élevé pour moi, pour nous.

ŒDIPE

Tu es bonne.

JOCASTE

Parlons-en. Tes sandales. Lève ta jambe gauche. *(Elle le déchausse.)* et ta jambe droite [*Même jeu. Soudain elle pousse un cri terrible* (**49**).]

ŒDIPE

Tu t'es fait mal?

JOCASTE

Non... non...
(Elle recule, regarde les pieds d'Œdipe, comme une folle.)

ŒDIPE

Ah! mes cicatrices... Je ne les croyais pas si laides. Ma pauvre chérie, tu as eu peur?

JOCASTE

Ces trous... d'où viennent-ils?... Ils ne peuvent témoigner que de blessures si graves...

ŒDIPE

Blessures de chasse, paraît-il. J'étais dans les bois; ma nourrice me portait. Soudain un sanglier débouche d'un massif et la charge. Elle a perdu la tête, m'a lâché. Je suis tombé et un bûcheron a tué l'animal pendant qu'il me

labourait à coups de boutoirs[1]... C'est vrai! Mais elle est
pâle comme une morte? Mon chéri! mon chéri! J'aurais
dû te prévenir. J'ai tellement l'habitude, moi, de ces trous
affreux. Je ne te savais pas si sensible...

JOCASTE

Ce n'est rien...

ŒDIPE

La fatigue, la somnolence nous mettent dans cet état
de vague terreur... tu sortais d'un mauvais rêve...

JOCASTE

Non... Œdipe; non. En réalité ces cicatrices me rap-
pellent quelque chose que j'essaye toujours d'oublier.

ŒDIPE

Je n'ai pas de chance (**50**).

JOCASTE

Tu ne pouvais pas savoir. Il s'agit d'une femme, ma sœur
de lait, ma lingère. Au même âge que moi, à dix-huit ans,
elle était enceinte. Elle vénérait son mari malgré la grande
différence d'âges et voulait un fils. Mais les oracles prédirent
à l'enfant un avenir tellement atroce, qu'après avoir accou-
ché d'un fils, elle n'eut pas le courage de le laisser vivre.

ŒDIPE

Hein?

JOCASTE

Attends... Imagine la force qu'il faut à une malheureuse
pour supprimer la vie de sa vie... le fils de son ventre, son
idéal sur la terre, l'amour de ses amours.

ŒDIPE

Et que fit cette... dame?

JOCASTE

La mort au cœur, elle troua les pieds du nourrisson, les
lia, le porta en cachette sur une montagne, l'abandonnant
aux louves et aux ours. (*Elle se cache la figure.*)

ŒDIPE

Et le mari?

---

1. *Boutoir* : au sens propre, le groin du sanglier; au pluriel, le mot semble
plutôt désigner ici les défenses de l'animal (cf. le verbe *labourer*).

JOCASTE

Tous crurent que l'enfant était mort de mort naturelle et que la mère l'avait enterré de ses propres mains.

ŒDIPE

Et... cette dame... existe ?

JOCASTE

Elle est morte.

ŒDIPE

Tant mieux pour elle, car mon premier exemple d'autorité royale aurait été de lui infliger publiquement les pires supplices, et après quoi, de la faire mettre à mort.

JOCASTE

Les oracles étaient formels. Une femme se trouve si stupide, si faible en face d'eux.

ŒDIPE

Tuer ! *(Se rappelant Laïus.)* Il n'est pas indigne de tuer lorsque le réflexe de défense nous emporte, lorsque le mauvais hasard s'en mêle ; mais tuer froidement, lâchement, la chair de sa chair, rompre la chaîne... tricher au jeu !

JOCASTE

Œdipe ! parlons d'autre chose... ta petite figure furieuse me fait trop de mal.

ŒDIPE

Parlons d'autre chose. Je risquerais de t'aimer moins si tu essayes de défendre cette chienne de malheur.

JOCASTE

Tu es un homme, mon amour, un homme libre et un chef ! Tâche de te mettre à la place d'une gamine, crédule aux présages et, qui plus est, grosse, éreintée, écœurée, chambrée, épouvantée par les prêtres... **(51)**

ŒDIPE

Une lingère ! c'est sa seule excuse[1]. L'aurais-tu fait ?

JOCASTE *(Geste.)*

Non, bien sûr.

1. Il se trouve aussi que c'est la seule partie du récit de Jocaste qui soit fausse...

ŒDIPE

Et ne crois pas que lutter contre les oracles exige une décision d'Hercule. Je pourrais me vanter, me poser en phénomène; je mentirais. Sache que pour déjouer l'oracle il me fallait tourner le dos à ma famille, à mes atavismes[1], à mon pays. Eh bien, plus je m'éloignais de ma ville, plus j'approchais de la tienne, plus il me semblait rentrer chez moi.

JOCASTE

Œdipe! Œdipe! Cette petite bouche qui parle, qui parle, cette langue qui s'agite, ces sourcils qui se froncent, ces grands yeux qui lancent des éclairs... Les sourcils ne peuvent-ils pas se détendre un peu et les yeux se fermer doucement, Œdipe, et la bouche servir à des caresses plus douces que la parole.

ŒDIPE

Je te le répète, je suis un ours, un sale ours! Un maladroit.

JOCASTE

Tu es un enfant.

ŒDIPE

Je ne suis pas un enfant!

JOCASTE

Il recommence! Là, là, sois sage.

ŒDIPE

Tu as raison; je suis impossible. Calme cette bouche bavarde avec ta bouche, ces yeux fébriles avec tes doigts.

JOCASTE

Permets. Je ferme la porte de la grille; je n'aime pas savoir cette grille ouverte la nuit.

ŒDIPE

J'y vais.

JOCASTE

Reste étendu... J'irai aussi jeter un coup d'œil au miroir. Voulez-vous embrasser une mégère[2]? Après toutes ces

---

1. *Atavismes* : caractères héréditaires qui viennent des ancêtres; 2. *Mégère* : femme laide, à la physionomie acariâtre. C'est du moins en ce sens familier que Jocaste emploie ce terme, mais on ne peut s'empêcher de penser à l'étymologie du mot : Mégère est, à l'origine, le nom d'une des trois Érinyes, déesses grecques de la Vengeance.

émotions, les Dieux seuls savent comment je dois être faite.
Ne m'intimide pas. Ne me regarde pas. Retournez-vous,
Œdipe.

ŒDIPE

Je me retourne. (*Il se couche en travers du lit, appuyant
sa tête sur le bord du berceau.*) Là, je ferme les yeux; je
n'existe plus.

(*Jocaste se dirige vers la fenêtre.*)

JOCASTE, *à Œdipe.*

Le petit soldat dort toujours à moitié nu... et il ne fait
pas chaud... le pauvret!

(*Elle marche vers la psyché; soudain elle s'arrête,
l'oreille vers la place. Un ivrogne parle très haut,
avec de longues poses entre ses réflexions.*)

VOIX DE L'IVROGNE

La politique!... La po-li-ti-que! Si c'est pas malheureux.
Parlez-moi de la politique... Ho! Tiens un mort!... Pardon
excuse : c'est un soldat endormi... Salut, militaire; salut
à l'armée endormie. (*Silence. Jocaste se hausse. Elle essaye
de voir dehors.*)

VOIX DE L'IVROGNE

La politique... (*Long silence.*) C'est une honte... une
honte...

JOCASTE

Œdipe! mon chéri.

ŒDIPE, *endormi.*

Hé!...

JOCASTE

Œdipe, Œdipe! Il y a un ivrogne et la sentinelle ne l'entend pas. Je déteste les ivrognes. Je voudrais qu'on le
chasse, qu'on réveille le soldat. Œdipe! Œdipe! Je t'en
supplie!

(*Elle le secoue.*)

ŒDIPE

Je dévide, je déroule, je calcule, je médite, je tresse, je
vanne, je tricote, je natte, je croise... (**52**)

JOCASTE

Qu'est-ce qu'il raconte? Comme il dort! Je pourrais
mourir, il ne s'en apercevrait pas.

L'IVROGNE

La politique!
>   *(Il chante. Dès les premiers vers, Jocaste lâche Œdipe,*
>   *repose doucement sa tête contre le bord du berceau et*
>   *s'avance vers le milieu de la chambre. Elle écoute.)*

>   Madame que prétendez-vous
>   Madame que prétendez-vous
>   Votre époux est trop jeune,
>   Bien trop jeune pour vous... Hou!...

Et cœtera...

JOCASTE

Ho! les monstres...

L'IVROGNE

>   Madame que prétendez-vous
>   Avec ce mariage?

>   *(Pendant ce qui suit, Jocaste, affolée, marche sur la*
>   *pointe des pieds vers la fenêtre. Ensuite elle remonte*
>   *vers le lit, et penchée sur Œdipe, observe sa figure,*
>   *tout en regardant de temps à autre vers la fenêtre*
>   *où la voix de l'ivrogne alterne avec le bruit de la*
>   *fontaine et les coqs ; elle berce le sommeil d'Œdipe en*
>   *remuant doucement le berceau.)*

L'IVROGNE

Si j'étais la politique... je dirais à la reine : Madame!...
un junior ne vous convient pas... Prenez un mari sérieux,
sobre, solide... un mari comme moi...

VOIX DU GARDE
(On sent qu'il vient de se réveiller. Il retrouve peu à peu de
l'assurance.)

Circulez!

VOIX DE L'IVROGNE

Salut à l'armée réveillée...

LE GARDE

Circulez! et plus vite.

L'IVROGNE

Vous pourriez être poli...
>   *(Dès l'entrée en scène de la voix du garde, Jocaste a*
>   *lâché le berceau, après avoir isolé la tête d'Œdipe*
>   *avec les tulles.)*

LE GARDE

Vous voulez que je vous mette en boîte?

L'IVROGNE

Toujours la politique. Si c'est pas malheureux!
Madame que prétendez-vous...

LE GARDE

Allons ouste! Videz la place...

L'IVROGNE

Je la vide, je la vide, mais soyez poli.

*(Jocaste pendant ces quelques répliques s'approche de
la psyché[1]. Comme le clair de lune et l'aube projettent
une lumière en sens inverse, elle ne peut se voir. Elle
empoigne la psyché par les montants et l'éloigne du
mur. La glace, proprement dite, restera fixe contre
le décor. Jocaste n'entraîne que le cadre et, cherchant
la lumière, jette des regards du côté d'Œdipe endormi.
Elle roule le meuble avec prudence jusqu'au premier
plan, à la place du trou du souffleur, de sorte que le
public devienne la glace et que Jocaste se regarde,
visible à tous.)*

L'IVROGNE *(très loin.)*

Votre époux est trop jeune
Bien trop jeune pour vous... Hou!...

*(On doit entendre le pas du factionnaire ; les sonneries
du réveil, les coqs, l'espèce de ronflement que fait le
souffle jeune et rythmé d'Œdipe. Jocaste, le visage
contre le miroir vide, se remonte les joues, à pleines
mains.)* **(53)**

---

1. *Psyché* : jeune fille qui, selon la mythologie grecque, fut si belle qu'Aphro-
dite (Vénus) la persécuta. Dans le récit d'Apulée (IIe siècle), nous voyons
cette beauté qui se mire avant d'être enlevée par l'Amour et admise au nombre
des dieux. Une psyché est donc un miroir qui fait ressortir toute la beauté,
un grand miroir mobile et orientable. Mais Psyché, dans la cosmologie pla-
tonicienne, symbolise aussi l'âme déchue qui subit de terribles épreuves avant
de pouvoir s'unir à l'amour divin. Ce symbole ne semble pas non plus étranger
au personnage de Jocaste. Enfin, il faut remarquer qu'il y a dans un miroir un
caractère étrange et mystérieux : dans *le Sang d'un poète*, Cocteau fait du
miroir la frontière entre ce monde et l'autre.

ACTE IV

ŒDIPE ROI
(17 ans après)

LA VOIX

Dix-sept ans ont passé vite. La grande peste de Thèbes a l'air d'être le premier échec à cette fameuse chance d'Œdipe, car les dieux ont voulu, pour le fonctionnement de leur machine infernale, que toutes les malchances surgissent sous le déguisement de la chance. Après les faux bonheurs, le roi va connaître le vrai malheur, le vrai sacre, qui fait, de ce roi de jeux de cartes entre les mains des dieux cruels, enfin, un homme (**54**).

DÉCOR

L'estrade, débarrassée de la chambre dont l'étoffe rouge s'envole vers les cintres[1], semble cernée de murailles qui grandissent. Elle finit par représenter le fond d'une sorte de cour. Une logette en l'air fait correspondre la chambre de Jocaste avec cette cour. On y monte par une porte ouverte en bas, au milieu. Lumière de peste.

Au lever du rideau, Œdipe, portant une petite barbe, vieilli, se tient debout près de la porte. Tirésias et Créon à droite et à gauche de la cour. Au deuxième plan, à droite, un jeune garçon genou en terre : le messager de Corinthe[2].

ŒDIPE

En quoi suis-je encore scandaleux, Tirésias ?

TIRÉSIAS

Comme toujours vous amplifiez les termes. Je trouve, et je répète, qu'il convient peut-être d'apprendre la mort d'un père avec moins de joie.

---

1. *Cintres :* dans un théâtre, partie supérieure de la scène cachée aux yeux des spectateurs ; **2.** *Corinthe :* ville grecque où règnent le roi Polybe et la reine Mérope, parents adoptifs d'Œdipe.

ŒDIPE

Vraiment? (*Au messager.*) N'aie pas peur, petit. Raconte. De quoi Polybe est-il mort? Mérope est-elle très, très malheureuse?

LE MESSAGER

Seigneur Œdipe, le roi Polybe est mort de vieillesse et... la reine sa femme est presque inconsciente. Son âge l'empêche même de bien envisager son malheur.

ŒDIPE, *une main à la bouche.*

Jocaste! Jocaste!
(*Jocaste apparaît à la logette; elle écarte le rideau. Elle porte son écharpe rouge.*)

JOCASTE

Qu'y a-t-il?

ŒDIPE

Tu es pâle; ne te sens-tu pas bien?

JOCASTE

La peste, la chaleur, les visites aux hospices, toutes ces choses m'épuisent, je l'avoue. Je me reposais sur mon lit.

ŒDIPE

Ce messager m'apporte une grande nouvelle et qui valait la peine que je te dérange.

JOCASTE, *étonnée.*

Une bonne nouvelle?...

ŒDIPE

Tirésias me reproche de la trouver bonne : Mon père est mort.

JOCASTE

Œdipe!

ŒDIPE

L'oracle m'avait dit que je serais son assassin et l'époux de ma mère. Pauvre Mérope! elle est bien vieille et mon père Polybe meurt de sa bonne mort.

JOCASTE

La mort d'un père n'est jamais chose heureuse que je sache.

ŒDIPE

Je déteste la comédie et les larmes de convention. Pour être vrai, j'ai quitté père et mère trop jeune et mon cœur s'est détaché d'eux.

LE MESSAGER

Seigneur Œdipe, si j'osais...

ŒDIPE

Il faut oser mon garçon.

LE MESSAGER

Votre indifférence n'est pas de l'indifférence. Je peux vous éclairer sur elle.

ŒDIPE

Voilà du nouveau.

LE MESSAGER

J'aurais dû commencer par la fin. A son lit de mort, le roi de Corinthe m'a chargé de vous apprendre que vous n'étiez que son fils adoptif.

ŒDIPE

Quoi ?

LE MESSAGER

Mon père, un berger de Polybe, vous trouva jadis, sur une colline, exposé aux bêtes féroces. Il était pauvre; il porta sa trouvaille à la reine qui pleurait de n'avoir pas d'enfant. C'est ce qui me vaut l'honneur de cette mission extraordinaire à la cour de Thèbes.

TIRÉSIAS

Ce jeune homme doit être épuisé par sa course et il a traversé notre ville pleine de miasmes impurs; ne vaudrait-il pas mieux qu'il se rafraîchisse, qu'il se repose, et vous l'interrogeriez après.

ŒDIPE

Vous voulez que le supplice dure, Tirésias; vous croyez que mon univers s'écroule. Vous me connaissez mal. Ne vous réjouissez pas trop vite. Peut-être suis-je heureux, moi, d'être un fils de la chance.

TIRÉSIAS

Je vous mettais en garde contre votre habitude néfaste[1] d'interroger, de savoir, de comprendre tout (**55**).

---

1. *Néfaste* : mot employé ici dans son sens étymologique « interdit par la loi divine ».

ŒDIPE

Parbleu! Que je sois fils des muses ou d'un chemineau, j'interrogerai sans crainte; je saurai les choses.

JOCASTE

Œdipe, mon amour, il a raison. Tu t'exaltes... tu t'exaltes... tu crois tout ce qu'on te raconte et après...

ŒDIPE

Par exemple! C'est le comble! Je reçois sans broncher les coups les plus rudes et chacun se ligue pour que j'en reste là et que je ne cherche pas à connaître mes origines.

JOCASTE

Personne ne se ligue... mon chéri... mais je te connais...

ŒDIPE

Tu te trompes Jocaste. On ne me connaît plus, ni toi, ni moi, ni personne... *(Au messager.)* Ne tremble pas, petit. Parle! Parle encore.

LE MESSAGER

Je ne sais rien d'autre, seigneur Œdipe, sinon que mon père vous délia presque mort, pendu par vos pieds blessés à une courte branche.

ŒDIPE

Les voilà donc ces belles cicatrices.

JOCASTE

Œdipe, Œdipe... remonte... On croirait que tu aimes fouiller tes plaies avec un couteau (**56**).

ŒDIPE

Voilà donc mes langes!... Mon histoire de chasse... fausse comme tant d'autres. Hé, bien, ma foi! Il se peut que je sois né d'un dieu sylvestre[1] et d'une dryade[2] et nourri par des louves. Ne vous réjouissez pas trop vite, Tirésias.

TIRÉSIAS

Vous êtes injuste...

ŒDIPE

Au reste, je n'ai pas tué Polybe, mais... j'y songe... j'ai tué un homme.

---

1. *Sylvestre :* qui appartient aux bois, aux forêts; **2.** *Dryade :* nymphe protectrice des forêts.

JOCASTE

Toi ?

ŒDIPE

Moi ! Oh ! rassurez-vous, c'était accidentel et pure mal-
chance. Oui, j'ai tué, devin, mais le parricide, il faut y
renoncer d'office. Pendant une rixe avec des serviteurs,
j'ai tué un vieillard qui voyageait, au carrefour de Daulie
et de Delphes.

JOCASTE

Au carrefour de Daulie et de Delphes !...
(Elle disparaît, comme on se noie.)

ŒDIPE

Voilà de quoi fabriquer une magnifique catastrophe[1].
Ce voyageur devait être mon père. « Ciel, mon père ! »
Mais, l'inceste sera moins commode, messieurs. Qu'en
penses-tu, Jocaste ?... *(Il se retourne et voit que Jocaste
a disparu.)* Parfait ! Dix-sept années de bonheur, de règne
sans tache, deux fils, deux filles, et il suffit que cette noble
dame apprenne que je suis l'inconnu (qu'elle aima d'abord)
pour me tourner le dos. Qu'elle boude ! qu'elle boude ! Je
resterai donc tête à tête avec mon destin.

CRÉON

Ta femme est malade, Œdipe. La peste nous démoralise
tous. Les dieux punissent la ville et veulent une victime.
Un monstre se cache parmi nous. Ils exigent qu'on le
découvre et qu'on le chasse. Chaque jour la police échoue
et les cadavres encombrent les rues. Te rends-tu compte
des efforts que tu exiges de Jocaste ? Te rends-tu compte
que tu es un homme et qu'elle est une femme, une femme
âgée, une mère inquiète de la contagion ? Avant de repro-
cher à Jocaste un geste d'humeur, tu pourrais lui trouver
des excuses.

ŒDIPE

Je te sens venir, beau-frère. La victime idéale, le monstre
qui se cache... De coïncidences en coïncidences... ce serait
du beau travail, avec l'aide des prêtres et de la police,
d'arriver à embrouiller le peuple de Thèbes et à lui laisser
croire que c'est moi.

1. *Catastrophe*, pris ici en son sens premier : bouleversement, renverse-
ment terrible qui dénoue une tragédie ou une vie.

CRÉON

Vous êtes absurde!

ŒDIPE

Je vous crois capable du pire, mon ami. Mais Jocaste, c'est autre chose... Son attitude m'étonne. *(Il appelle.)* Jocaste! Jocaste! Où es-tu?

TIRÉSIAS

Ses nerfs semblaient à bout; elle se repose... laissez-la tranquille.

ŒDIPE

Je vais... *(Il s'approche du jeune garde.)* Au fait... au fait...

LE MESSAGER

Monseigneur!

ŒDIPE

Les pieds troués... liés... sur la montagne... Comment n'ai-je pas compris tout de suite!... Et moi qui me demandais pourquoi Jocaste...

Il est dur de renoncer aux énigmes... Messieurs, je n'étais pas un fils de dryade. Je vous présente le fils d'une lingère[1], un enfant du peuple, un produit de chez vous.

CRÉON

Quel est ce conte?

ŒDIPE

Pauvre, pauvre Jocaste! Sans le savoir je lui ai dit un jour ce que je pensais de ma mère... Je comprends tout maintenant. Elle doit être terrifiée, désespérée. Bref... attendez-moi. Il est capital que je l'interroge, que rien ne reste dans l'ombre, que cette mauvaise farce prenne fin.

(Il sort par la porte de milieu. Aussitôt Créon se dépêche d'aller au messager, de l'entraîner et de le faire disparaître par la gauche.)

CRÉON

Il est fou! Quelle est cette histoire?

TIRÉSIAS

Ne bougez pas. Un orage arrive du fond des siècles. La foudre vise cet homme et je vous demande, Créon,

1. Cf. page 118, note 1.

de laisser la foudre suivre ses caprices, d'attendre immobile, de ne vous mêler de rien.

> (*Tout à coup on voit Œdipe à la logette, déraciné*[1],
> *décomposé*[2], *appuyé d'une main contre la muraille.*)

ŒDIPE

Vous me l'avez tuée...

CRÉON

Tuée ?

ŒDIPE

Vous me l'avez tuée... Elle est là... pendue... pendue à
son écharpe... Elle est morte... messieurs, elle est morte...
c'est fini... fini (**57**).

CRÉON

Morte! Je monte...

TIRÉSIAS

Restez... le prêtre vous l'ordonne. C'est inhumain, je
le sais; mais le cercle se ferme; nous devons nous taire
et rester là.

CRÉON

Vous n'empêcherez pas un frère...

TIRÉSIAS

J'empêcherai! Laissez la fable[3] tranquille. Ne vous en
mêlez pas.

ŒDIPE *(A la porte.)*

Vous me l'avez tuée... elle était romanesque... faible...
malade... vous m'avez poussé à dire que j'étais un assassin...
Qui ai-je assassiné, messieurs, je vous le demande?... par
maladresse, par simple maladresse... un vieillard sur la
route... un inconnu.

TIRÉSIAS

Œdipe, vous avez assassiné par maladresse l'époux de
Jocaste, le roi Laïus.

ŒDIPE

Misérables!... Mes yeux s'ouvrent! Votre complot continue... c'était pire encore que je ne le croyais... Vous avez
insinué à ma pauvre Jocaste que j'étais l'assassin de Laïus...

---

1. Œdipe est frappé à mort comme un arbre abattu par l'ouragan; **2.** Il
ressemble à un cadavre longtemps avant la mort; **3.** *La fable :* la légende
telle que le Destin est en train de la façonner pour l'éternité.

que j'avais tué le roi pour la rendre libre, pour devenir son époux.

TIRÉSIAS

Vous avez assassiné l'époux de Jocaste, Œdipe, le roi Laïus. Je le savais de longue date et vous mentez : ni à vous ni à elle, ni à Créon, ni à personne je ne l'ai dit. Voilà comment vous reconnaissez mon silence.

ŒDIPE

Laïus !... Alors voilà... le fils de Laïus et de la lingère ! Le fils de la sœur de lait de Jocaste et de Laïus.

TIRÉSIAS, *à Créon.*

Si vous voulez agir, ne tardez pas. Dépêchez-vous. La dureté même a des limites.

CRÉON

Œdipe, ma sœur est morte par votre faute. Je ne me taisais que pour préserver Jocaste. Il me semble inutile de prolonger outre mesure de fausses ténèbres, le dénouement d'un drame abject dont j'ai fini par découvrir l'intrigue.

ŒDIPE

L'intrigue ?...

CRÉON

Les secrets les plus secrets se livrent un jour à celui qui les cherche. L'homme intègre qui jure le silence parle à sa femme, qui parle à une amie intime et ainsi de suite. *(En coulisse.)* Entre, berger.

      (Paraît un vieux berger qui tremble.)

ŒDIPE

Quel est cet homme ?

CRÉON

L'homme qui t'a porté blessé et lié sur la montagne d'après les ordres de ta mère. Qu'il avoue.

LE BERGER

Parler m'aurait valu la mort. Princes, que ne suis-je mort afin de ne pas vivre cette minute

ŒDIPE

De qui suis-je le fils, bonhomme ? Frappe, frappe vite.

LE BERGER

Hélas!

ŒDIPE

Je suis près d'une chose impossible à entendre.

LE BERGER

Et moi... d'une chose impossible à dire.

CRÉON

Il faut la dire. Je le veux.

LE BERGER

Tu es le fils de Jocaste, ta femme, et de Laïus tué par toi au carrefour des trois routes. Inceste et parricide, les Dieux te pardonnent[1].

ŒDIPE

J'ai tué celui qu'il ne fallait pas. J'ai épousé celle qu'il ne fallait pas. J'ai perpétué ce qu'il ne fallait pas. Lumière est faite... *(Il sort.)*
(Créon chasse le berger.)

CRÉON

De quelle lingère, de quelle sœur de lait parlait-il?

TIRÉSIAS

Les femmes ne peuvent garder le silence. Jocaste a dû mettre son crime sur le compte d'une de ses servantes pour tâter le terrain.
(Il lui tient le bras et écoute la tête penchée.
Rumeurs sinistres[2]. La petite Antigone, les cheveux épars, apparaît, à la logette.)

ANTIGONE

Mon oncle! Tirésias! Montez vite, vite, c'est épouvantable! J'ai entendu crier dans la chambre; petite mère ne bouge plus, elle est tombée tout de son long et petit père se roule sur elle et il se donne des coups dans les yeux avec sa grosse broche en or. Il y a du sang partout. J'ai peur! J'ai trop peur, montez... montez vite... *(Elle rentre.)*

CRÉON

Cette fois, personne ne m'empêchera...

1. Verbe au subjonctif : « que les dieux te pardonnent! »; 2. *Sinistre*, au sens étymologique : de mauvais augure.

5

TIRÉSIAS

Si! je vous empêcherai. Je vous le dis, Créon, un chef-d'œuvre d'horreur s'achève. Pas un mot, pas un geste. Il serait malhonnête de poser une seule ombre de nous.

CRÉON

C'est de la pure folie!

TIRÉSIAS

C'est la pure sagesse... Vous devez admettre...

CRÉON

Impossible. Du reste le pouvoir retombe entre mes mains.
(Au moment où, s'étant dégagé, il s'élance, la porte s'ouvre. Œdipe aveugle apparaît. Antigone s'accroche à sa robe.)

TIRÉSIAS

Halte!

CRÉON

Je deviens fou. Pourquoi, pourquoi a-t-il fait cela? Mieux valait la mort.

TIRÉSIAS

Son orgueil ne le trompe pas[1]. Il a voulu être le plus heureux des hommes, maintenant il veut être le plus malheureux.

ŒDIPE

Qu'on me chasse, qu'on m'achève, qu'on me lapide, qu'on abatte la bête immonde.

ANTIGONE

Père!

ŒDIPE

Laisse-moi... ne touche pas mes mains, ne m'approche pas.

TIRÉSIAS

Antigone!
Mon bâton d'augure. Offre-le lui de ma part. Il lui portera chance.
(Antigone embrasse la main de Tirésias et porte le bâton à Œdipe.)

---

1. Dans l'*Antigone* de Jean Anouilh, Créon dira à Antigone : « L'orgueil d'Œdipe. Tu es l'orgueil d'Œdipe.»

ANTIGONE

Tirésias t'offre son bâton.

ŒDIPE

Il est là?... J'accepte, Tirésias... J'accepte... Souvenez-vous, il y a dix-huit ans, j'ai vu dans vos yeux que je deviendrais aveugle et je n'ai pas su comprendre[1]. J'y vois clair Tirésias, mais je souffre... J'ai mal... La journée sera rude.

CRÉON

Il est impossible qu'on le laisse traverser la ville, ce serait un scandale épouvantable.

TIRÉSIAS, *bas.*

Une ville de peste? Et puis, vous savez, ils voyaient le roi qu'Œdipe voulait être; ils ne verront pas celui qu'il est.

CRÉON

Vous prétendez qu'il deviendra invisible parce qu'il est aveugle.

TIRÉSIAS

Presque.

CRÉON

Eh bien! j'en ai assez de vos devinettes et de vos symboles. J'ai ma tête sur mes épaules, moi, et les pieds par terre. Je vais donner des ordres[2].

TIRÉSIAS

Votre police est bien faite, Créon; mais où cet homme se trouve, elle n'aurait plus le moindre pouvoir[3] (58).

CRÉON

Je...

(Tirésias l'empoigne par le bras et lui met la main sur la bouche... Car Jocaste paraît dans la porte. Jocaste morte, blanche, belle, les yeux clos. Sa longue écharpe enroulée autour du cou.)

---

1. Cf. page 104; **2.** Dans le même dialogue d'Anouilh, Créon poursuit : « Moi, je m'appelle simplement Créon, Dieu merci. J'ai mes deux pieds par terre, mes deux mains enfoncées dans mes poches et, puisque je suis roi, j'ai résolu, avec moins d'ambition que ton père, de m'employer tout simplement à rendre l'ordre de ce monde un peu moins absurde, si c'est possible »; **3.** Dans la tragédie d'Anouilh, au moment où Antigone a pris conscience de son destin, elle dit à Créon : « Je vous parle de trop loin maintenant, d'un royaume où vous ne pouvez plus entrer avec vos rides, votre sagesse, votre ventre. »

ŒDIPE

Jocaste! Toi! Toi vivante!

JOCASTE

Non, Œdipe. Je suis morte. Tu me vois parce que tu es aveugle; les autres ne peuvent plus me voir.

ŒDIPE

Tirésias est aveugle...

JOCASTE

Peut-être me voit-il un peu... mais il m'aime, il ne dira rien...

ŒDIPE

Femme! ne me touche pas...

JOCASTE

Ta femme est morte pendue, Œdipe. Je suis ta mère. C'est ta mère qui vient à ton aide... Comment ferais-tu rien que pour descendre seul cet escalier, mon pauvre petit?

ŒDIPE

Ma mère!

JOCASTE

Oui, mon enfant, mon petit enfant... Les choses qui paraissent abominables aux humains, si tu savais, de l'endroit où j'habite, si tu savais comme elles ont peu d'importance.

ŒDIPE

Je suis encore sur la terre.

JOCASTE

A peine...

CRÉON

Il parle avec des fantômes, il a le délire, la fièvre, je n'autoriserai pas cette petite...

TIRÉSIAS

Ils sont sous bonne garde.

CRÉON

Antigone! Antigone! je t'appelle...

ANTIGONE

Je ne veux pas rester chez mon oncle! Je ne veux pas, je ne veux pas rester à la maison. Petit père, petit père ne me quitte pas! Je te conduirai, je te dirigerai... (**59**)

CRÉON

Nature ingrate.

ŒDIPE

Impossible, Antigone. Tu dois être sage... je ne peux pas t'emmener.

ANTIGONE

Si! si!

ŒDIPE

Tu abandonnerais Ismène[1]?

ANTIGONE

Elle doit rester auprès d'Étéocle et de Polynice[2]. Emmène-moi, je t'en supplie! Je t'en supplie! Ne me laisse pas seule! Ne me laisse pas chez mon oncle! Ne me laisse pas à la maison.

JOCASTE

La petite est si fière. Elle s'imagine être ton guide. Il faut le lui laisser croire. Emmène-la. Je me charge de tout.

ŒDIPE

Oh!...
    (Il porte la main à sa tête.)

JOCASTE

Tu as mal?

ŒDIPE

Oui, dans la tête et dans la nuque et dans les bras... C'est atroce.

JOCASTE

Je te panserai à la fontaine.

ŒDIPE, *abandonné.*

Mère...

---

1. L'autre fille d'Œdipe et de Jocaste; **2.** Les deux fils d'Œdipe et de Jocaste. L'évocation de ces personnages rappelle au spectateur la fatalité qui s'acharnera sur les enfants d'Œdipe (lutte fratricide d'Étéocle et de Polynice, mort d'Antigone et d'Ismène).

JOCASTE

Crois-tu! cette méchante écharpe et cette affreuse broche! L'avais-je assez prédit.

CRÉON

C'est im-pos-si-ble. Je ne laisserai pas un fou sortir en liberté avec Antigone. J'ai le devoir...

TIRÉSIAS

Le devoir! Ils ne t'appartiennent plus; ils ne relèvent plus de ta puissance.

CRÉON

Et à qui appartiendraient-ils?

TIRÉSIAS

Au peuple, aux poètes[1], aux cœurs purs.

JOCASTE

En route! Empoigne ma robe solidement... n'aie pas peur...
(Ils se mettent en route.)

ANTIGONE

Viens petit père... partons vite...

ŒDIPE

Où commencent les marches?

JOCASTE ET ANTIGONE

Il y a encore toute la plate-forme...
(Ils disparaissent... On entend Jocaste et Antigone parler exactement ensemble.)

JOCASTE ET ANTIGONE

Attention... compte les marches... Un, deux, trois, quatre, cinq... (**60**)

CRÉON

Et en admettant qu'ils sortent de la ville, qui s'en char- gera, qui les recueillera?...

---

1. Jean Cocteau écrit dans la préface à l'édition anglaise de *la Machine infernale* : « Il me semble que l'histoire est du *vrai* qui devient *faux* à la longue (et de bouche en bouche) alors que la légende est du faux qui, à la longue, devient véritable. » De même, dans le film *l'Eternel Retour*, Cocteau suggère que la légende de Tristan et Yseult est plus importante que la vie réelle des deux amants; lorsque leurs cadavres sont couchés côte à côte, à la fin du film, viennent se projeter sur l'écran les mots suivants : « Et leur vraie vie commence. »

TIRÉSIAS

La gloire.

CRÉON

Dites plutôt le déshonneur, la honte...

TIRÉSIAS

Qui sait (**61**)?

———————

DOCUMENTATION THÉMATIQUE

réunie par la Rédaction des Nouveaux Classiques Larousse

Sophocle : *Œdipe Roi*

SOPHOCLE : *ŒDIPE ROI*

Nous donnons ici quelques extraits d'*Œdipe Roi* à mettre en parallèle avec la pièce de Jean Cocteau.

[...] TIRÉSIAS. — Eh bien donc, je le dis. Sans le savoir, tu vis dans un commerce infâme avec les plus proches des tiens, et sans te rendre compte du degré de misère où tu es parvenu.

ŒDIPE. — Et tu t'imagines pouvoir en dire plus sans qu'il t'en coûte rien ?

TIRÉSIAS. — Oui, si la vérité garde quelque pouvoir.

ŒDIPE. — Ailleurs, mais pas chez toi ! Non, pas chez un aveugle, dont l'âme et les oreilles sont aussi fermées que les yeux !

TIRÉSIAS. — Mais toi aussi, tu n'es qu'un malheureux, quand tu me lances des outrages que tous ces gens bientôt te lanceront aussi.

ŒDIPE. — Tu ne vis, toi, que de ténèbres : comment donc me pourrais-tu nuire, à moi, comme à quiconque voit la clarté du jour ?

TIRÉSIAS. — Non, mon destin n'est pas de tomber sous les coups : Apollon n'aurait pas de peine à te les faire payer.

ŒDIPE. — Est-ce Créon ou toi qui inventas l'histoire ?

TIRÉSIAS. — Ce n'est pas Créon qui te perd, c'est toi.

ŒDIPE. — Ah ! richesse, couronne, savoir surpassant tous autres savoirs, vous faites sans doute la vie enviable ; mais que de jalousies vous conservez aussi contre elle chez vous ! s'il est vrai que, pour ce pouvoir, que Thèbes m'a mis elle-même en main sans que je l'aie, moi, demandé jamais, Créon, le loyal Créon, l'ami de toujours, cherche aujourd'hui sournoisement à me jouer, à me chasser d'ici, et qu'il a pour cela suborné ce faux prophète, ce grand meneur d'intrigues, ce fourbe charlatan, dont les yeux sont ouverts au gain, mais tout à fait clos pour son art. Car enfin, dis-moi, quand donc as-tu été un devin véridique ? pourquoi, quand l'ignoble Chanteuse était dans nos murs, ne disais-tu pas à ces citoyens le mot qui les eût sauvés ? Ce n'était pourtant pas le premier venu qui pouvait résoudre l'énigme : il fallait là l'art d'un devin. Cet art, tu n'as pas montré que tu l'eusses appris ni des oiseaux ni d'un dieu ! Et cependant j'arrive, moi, Œdipe, ignorant de tout, et c'est moi, moi seul, qui lui ferme la bouche, sans rien connaître des présages, par ma seule présence d'esprit. Et voilà l'homme qu'aujourd'hui tu prétends expulser de Thèbes ! Déjà tu te vois sans doute

debout auprès du trône de Créon? Cette expulsion-là pourrait te coûter cher, à toi comme à celui qui a mené l'intrigue.
Si tu ne me faisais l'effet d'un bien vieil homme, tu recevrais
exactement la leçon due à ta malice.

Le Coryphée. — Il nous semble bien à nous que, si ses mots
étaient dictés par la colère, il en est de même pour les tiens,
Œdipe; et ce n'est pas de tels propos que nous avons besoin
ici. Comment résoudre au mieux l'oracle d'Apollon! voilà
seulement ce que nous avons à examiner.

Tirésias. — Tu règnes; mais j'ai mon droit aussi, que tu
dois reconnaître, le droit de te répondre point pour point
à mon tour, et il est à moi sans conteste. Je ne suis pas à
tes ordres, je suis à ceux de Loxias; je n'aurai pas dès
lors à réclamer le patronage de Créon. Et voici ce que je te
dis. Tu me reproches d'être aveugle; mais toi, toi qui y vois,
comment ne vois-tu pas à quel point de misère tu te trouves
à cette heure? et sous quel toit tu vis, en compagnie de qui?
— sais-tu seulement de qui tu es né? — Tu ne te doutes
pas que tu es en horreur aux tiens, dans l'enfer comme sur la
terre. Bientôt, comme un double fouet, la malédiction d'un
père et d'une mère, qui approche terrible, va te chasser
d'ici. Tu vois le jour : tu ne verras bientôt plus que la nuit.
Quels bords ne rempliras-tu pas alors de tes clameurs? — quel
Cithéron n'y fera pas écho? — lorsque tu comprendras
quel rivage inclément fut pour toi cet hymen où te fit aborder un trop heureux voyage! Tu n'entrevois pas davantage
le flot de désastres nouveaux qui va te ravaler au rang de tes
enfants! Après cela, va, insulte Créon, insulte mes oracles :
jamais homme avant toi n'aura plus durement été broyé
du sort.

Œdipe. — Ah! peut-on tolérer d'entendre parler de la sorte?
Va-t'en à la male heure, et vite! Vite, tourne le dos à ce
palais. Loin d'ici! va-t'en!

Tirésias. — Je ne fusse pas venu de moi-même : c'est toi
seul qui m'as appelé.

Œdipe. — Pouvais-je donc savoir que tu ne dirais que sottises? J'aurais pris sans cela mon temps pour te mander
jusqu'ici.

Tirésias. — Je t'apparais donc sous l'aspect d'un sot? Pourtant j'étais un sage aux yeux de tes parents.

Œdipe. — Quels parents? Reste là. De qui suis-je le fils?

Tirésias. — Ce jour te fera naître et mourir à la fois.

Œdipe. — Tu ne peux donc user que de mots obscurs et
d'énigmes?

Tirésias. — Quoi! Tu n'excelles plus à trouver les énigmes?

Œdipe. — Va, reproche-moi donc ce qui fait ma grandeur.

Tirésias. — C'est ton succès pourtant qui justement te perd.

ŒDIPE. — Si j'ai sauvé la ville, que m'importe le reste?

TIRÉSIAS. — Eh bien! je pars. Enfant, emmène-moi.

ŒDIPE. — Oui, certes, qu'il t'emmène! Ta présence me gêne et me pèse. Tu peux partir : je n'en serai pas plus chagrin.

TIRÉSIAS. — Je pars, mais je dirai d'abord ce pour quoi je suis venu. Ton visage ne m'effraie pas : ce n'est pas toi qui peux me perdre. Je te le dis en face : l'homme que tu cherches depuis quelque temps avec toutes ces menaces, ces proclamations sur Laïos assassiné, cet homme est ici même. On le croit un étranger, un étranger fixé dans le pays : il se révélera un Thébain authentique — et ce n'est pas cette aventure qui lui procurera grand-joie. Il y voyait : de ce jour il sera aveugle; il était riche : il mendiera, et, tâtant sa route devant lui avec son bâton, il prendra le chemin de la terre étrangère. Et, du même coup, il se révélera père et frère à la fois des fils qui l'entouraient, époux et fils ensemble de la femme dont il est né, rival incestueux aussi bien qu'assassin de son propre père! Rentre à présent, médite mes oracles, et, si tu t'assures que je t'ai menti, je veux bien alors que tu dises que j'ignore tout de l'art des devins.

Il sort. Œdipe rentre dans son palais.

. . . .

JOCASTE. — Au nom des dieux, dis-moi, seigneur, ce qui a bien pu, chez toi, soulever pareille colère.

ŒDIPE. — Oui, je te le dirai. Je te respecte, toi, plus que tous ceux-là. C'est Créon, c'est le complot qu'il avait formé contre moi.

JOCASTE. — Parle, que je voie si tu peux exactement dénoncer l'objet de cette querelle.

ŒDIPE. — Il prétend que c'est moi qui ai tué Laïos.

JOCASTE. — Le sait-il par lui-même? ou le tient-il d'un autre?

ŒDIPE. — Il nous a dépêché un devin — un coquin. Pour lui, il garde sa langue toujours libre d'impudence.

JOCASTE. — Va, absous-toi toi-même du crime dont tu parles, et écoute-moi. Tu verras que jamais créature humaine ne posséda rien de l'art de prédire. Et je vais t'en donner la preuve en peu de mots. Un oracle arriva jadis à Laïos, non d'Apollon lui-même, mais de ses serviteurs. Le sort qu'il avait à attendre était de périr sous le bras d'un fils qui naîtrait de lui et de moi. Or Laïos, dit la rumeur publique, ce sont des brigands qui l'ont abattu, au croisement de deux chemins, et d'autre part, l'enfant une fois né, trois jours

ne s'étaient pas écoulés, que déjà Laïos, lui liant les talons,
l'avait fait jeter sur un mont désert. Là aussi, Apollon ne
put faire ni que le fils tuât son père, ni que Laïos, comme
il le redoutait, pérît par la main de son fils. C'était bien
pourtant le destin que des voix prophétiques nous avaient
signifié ! De ces voix-là ne tiens donc aucun compte. Les
choses dont un dieu poursuit l'achèvement, il saura bien
les révéler lui-même.

ŒDIPE. — Ah ! comme à t'entendre, je sens soudain, ô
femme, mon âme qui s'égare, ma raison qui chancelle !

[...] ŒDIPE. — Je crains pour moi, ô femme, je crains d'avoir
trop parlé. Et c'est pourquoi je veux le voir.

JOCASTE. — Il viendra. Mais moi aussi, ne mérité-je pas
d'apprendre ce qui te tourmente, seigneur ?

ŒDIPE. — Je ne saurais te dire non : mon anxiété est trop
grande. Quel confident plus précieux pourrais-je donc avoir
que toi, au milieu d'une telle épreuve ? Mon père est Polybe
— Polybe de Corinthe. Mérope, ma mère, est une Dorienne.
J'avais le premier rang là-bas, parmi les citoyens, lorsque
survint un incident, qui méritait ma surprise sans doute, mais
ne méritait pas qu'on le prît à cœur comme je le pris. Pendant un repas, au moment du vin, dans l'ivresse, un homme
m'appelle « enfant supposé ». Le mot me fit mal ; j'eus peine
ce jour-là à me contenir, et dès le lendemain j'allai ques-
tionner mon père et ma mère. Ils se montrèrent indignés
contre l'auteur du propos ; mais, si leur attitude en cela me
satisfait, le mot n'en cessait pas moins de me poindre et
faisait son chemin peu à peu dans mon cœur. Alors, sans
prévenir mon père ni ma mère, je pars pour Pythô ; et là
Phœbos me renvoie sans même avoir daigné répondre à ce
pour quoi j'étais venu, mais non sans avoir en revanche
prédit à l'infortuné que j'étais le plus horrible, le plus lamen-
table destin : j'entrerais au lit de ma mère, je ferais voir au
monde une race monstrueuse, je serais l'assassin du père dont
j'étais né ! Si bien qu'après l'avoir entendu, à jamais, sans
plus de façons, je laisse là Corinthe et son territoire, je
m'enfuis vers des lieux où je ne pusse voir se réaliser les
ignominies que me prédisait l'effroyable oracle. Et voici
qu'en marchant j'arrive à l'endroit même où tu prétends
que ce prince aurait péri... Eh bien ! à toi, femme, je dirai
la vérité tout entière. Au moment où, suivant ma route, je
m'approchais du croisement des deux chemins, un héraut,
puis, sur un chariot attelé de pouliches, un homme tout pareil
à celui que tu me décris, venaient à ma rencontre. Le guide,
ainsi que le vieillard lui-même, cherche à me repousser de
force. Pris de colère, je frappe, moi, celui qui me prétend
écarter de ma route, le conducteur. Mais le vieux me voit,

il épie l'instant où je passe près de lui et de son chariot il m'assène en pleine tête un coup de son double fouet. Il paya cher ce geste-là! En un moment, atteint par le bâton que brandit cette main, il tombe à la renverse et du milieu du chariot il s'en va rouler à terre — et je les tue tous... Si quelque lien existe entre Laïos et cet inconnu, est-il à cette heure un mortel plus à plaindre que celui que tu vois? Est-il homme plus abhorré des dieux? Etranger, citoyen, personne ne peut plus me recevoir chez lui, m'adresser la parole, chacun me doit écarter de son seuil. Bien plus, c'est moi-même qui me trouve aujourd'hui avoir lancé contre moi-même les imprécations que tu sais. A l'épouse du mort j'inflige une souillure, quand je la prends entre ces bras qui ont fait périr Laïos! Suis-je donc pas un criminel? suis-je pas tout impureté? puisqu'il faut que je m'exile, et qu'exilé je renonce à revoir les miens, à fouler de mon pied le sol de ma patrie; sinon, je devrais tout ensemble entrer dans le lit de ma mère et devenir l'assassin de mon père, ce Polybe qui m'a engendré et nourri. Est-ce donc pas un dieu cruel qui m'a réservé ce destin? On peut le dire, et sans erreur. O sainte majesté des dieux, non, que jamais je ne voie ce jour-là! Ah! que plutôt je parte et que je disparaisse du monde des humains avant que la tache d'un pareil malheur soit venue souiller mon front!

LE CORYPHÉE. — Tout cela, je l'avoue, m'inquiète, seigneur. Mais tant que tu n'as pas entendu le témoin, conserve bon espoir.

ŒDIPE. — Oui, mon espoir est là : attendre ici cet homme, ce berger — rien de plus.

JOCASTE. — Mais pourquoi tel désir de le voir apparaître?

ŒDIPE. — Pourquoi? Voici pourquoi : que nous le retrouvions disant ce que tu dis, et je suis hors de cause.

JOCASTE. — Et quels mots si frappants ai-je donc pu te dire?

ŒDIPE. — C'étaient des brigands, disais-tu, qui avaient, selon lui, tué Laïos. Qu'il répète donc ce pruriel, et ce n'est plus moi l'assassin : un homme seul ne fait pas une foule. Au contraire, s'il parle d'un homme, d'un voyageur isolé, voilà le crime qui retombe clairement sur mes épaules.

JOCASTE. — Mais non, c'est cela, sache-le, c'est cela qu'il a proclamé; il n'a plus le moyen de le démentir : c'est la ville entière, ce n'est pas moi seule qui l'ai entendu. Et, en tout cas, même si d'aventure il déviait de son ancien propos, il ne prouverait pas pour cela, seigneur, que son récit du meurtre est cette fois le vrai, puisqu'aussi bien ce Laïos devait, d'après Apollon, périr sous le bras de mon fils, et qu'en fait ce n'est pas ce malheureux fils qui a pu lui donner la mort, attendu qu'il est mort lui-même le premier. De sorte que désormais, en matière de prophéties, je ne tiendrai pas plus de compte de ceci que de cela.

Œdipe. — Tu as raison ; mais, malgré tout, envoie quelqu'un qui nous ramène ce valet. N'y manque pas.

Jocaste. — J'envoie à l'instant même. Mais rentrons chez nous. Il n'est rien qui te plaise, que je ne sois, moi, prête à faire.

Ils rentrent ensemble dans le palais.

. . . .

Œdipe. — Si tu ne veux pas parler de bon gré, tu parleras de force et il t'en cuira.

Le Serviteur. — Ah ! je t'en supplie, par les dieux, ne maltraite pas un vieillard.

Œdipe. — Vite, qu'on lui attache les mains dans le dos !

Le Serviteur. — Hélas ! pourquoi donc ? que veux-tu savoir ?

Œdipe. — C'est toi qui lui remis l'enfant dont il nous parle ?

Le Serviteur. — C'est moi. J'aurais bien dû mourir le même jour.

Œdipe. — Refuse de parler, et c'est ce qui t'attend.

Le Serviteur. — Si je parle, ma mort est bien plus sûre encore.

Œdipe. — Cet homme m'a tout l'air de chercher des délais.

Le Serviteur. — Non, je l'ai dit déjà : c'est moi qui le remis.

Œdipe. — De qui le tenais-tu ? De toi-même ou d'un autre ?

Le Serviteur. — Il n'était pas à moi. Je le tenais d'un autre.

Œdipe. — De qui ? de quel foyer de Thèbes sortait-il ?

Le Serviteur. — Non, maître, au nom des dieux, n'en demande pas plus.

Œdipe. — Tu es mort, si je dois répéter ma demande.

Le Serviteur. — Il était né chez Laïos.

Œdipe. — Esclave ?... Ou parent du roi ?

Le Serviteur. — Hélas ! j'en suis au plus cruel à dire.

Œdipe. — Et pour moi à entendre. Pourtant je l'entendrai.

Le Serviteur. — Il passait pour son fils... Mais ta femme, au palais, peut bien mieux que personne te dire ce qui est.

Œdipe. — C'est elle qui te l'avait remis ?

Le Serviteur. — C'est elle, seigneur.

Œdipe. — Dans quelle intention ?

Le Serviteur. — Pour que je le tue.

Œdipe. — Une mère !... La pauvre femme !

Le Serviteur. — Elle avait peur d'un oracle des dieux.

Œdipe. — Qu'annonçait-il ?

LE SERVITEUR. — Qu'un jour, prétendait-on, il tuerait ses parents.

ŒDIPE. — Mais pourquoi l'avoir, toi, remis à ce vieillard ?

LE SERVITEUR. — J'eus pitié de lui, maître. Je crus, moi, qu'il l'emporterait au pays d'où il arrivait. Il t'a sauvé la vie, mais pour les pires maux ! Si tu es vraiment celui dont il parle, sache que tu es né marqué par le malheur.

ŒDIPE. — Hélas ! hélas ! ainsi tout à la fin serait vrai ! Ah ! lumière du jour, que je te voie ici pour la dernière fois, puisque aujourd'hui, je me révèle le fils de qui je ne devais pas naître, l'époux de qui je ne devais pas l'être, le meurtrier de qui je ne devais pas tuer !

Il se rue dans le palais.

JUGEMENTS SUR JEAN COCTEAU
ET SUR « LA MACHINE INFERNALE »

J'ai souvent répété qu'une chose ne pouvait à la fois *être* et *avoir l'air*. Ce credo perd de son exactitude lorsqu'il s'agit du théâtre, sorte d'enchantement assez louche où l'*avoir l'air* règne comme le trompe-l'œil sur les plafonds italiens. Or, cet enchantement, personne au monde n'en exploite mieux les ressources que Christian Bérard, lorsqu'il oppose au réalisme et aux stylisations ce sens de la vérité en soi, d'une vérité qui dédaigne la réalité, méthode inimitable n'ayant d'autre objectif que de mettre dans le mille à chaque coup.

> Jean Cocteau,
> Préface à l'édition originale
> de *la Machine infernale* (1934).

Mais l'axe de la pièce n'est pas psychologique, il est poétique. Avec audace et liberté, l'auteur a maintenu son sujet sur le plan surnaturel, celui du destin perfide, résolu à la perte de deux créatures. Et ce n'est pas une mince ambition que de nous introduire dans les desseins des dieux, de nous montrer à l'œuvre des personnages démoniaques. [...]
Mais pourquoi chicaner ? Nous sommes dans un monde où la seconde vue est plus pénétrante que le regard naturel, où la parole des revenants et des oracles est plus chargée de sens que celle des hommes. Rien, communément, de plus froid que les apparitions de spectres ou que les rêves prémonitoires ; mais ici ces manifestations d'un monde invisible ont une sorte de vraisemblance poétique qui les rend émouvantes.

> Jean Schlumberger,
> dans *la Nouvelle Revue française* (mai 1934).

En dépit de quelques brillantes tirades, *la Machine infernale* laissait l'impression d'une nouveauté de 1934 qui aurait manqué son heure de chance.

> René Lalou,
> *Histoire de la littérature française contemporaine* (1942).

La Machine infernale [...] formait, par la parfaite harmonie qui régnait entre le texte et sa présentation, par le jeu combiné des trouvailles de l'un et de l'autre, un tout d'une étonnante réussite. La scène du fantôme, la rencontre d'Œdipe avec le Sphinx, la nuit de noces d'Œdipe et de Jocaste et le dénouement de la tragédie sortent, des mains de Jean Cocteau, parés d'une nouvelle et bouleversante jeunesse.

On a souvent, et avec raison, traité Jean Cocteau d'enchanteur et de magicien, peu d'êtres ont eu autant que lui le sens du théâtre et le goût du théâtre : il est un facteur essentiel, non seulement par le texte de ses pièces, mais aussi par la présentation qu'il leur donna, de l'évolution du théâtre français d'avant-garde.

> Georges Pillement,
> *Anthologie du théâtre français contemporain,*
> vol. I, « le Théâtre d'avant-garde » (1945).

Qui ne se souvient des remparts de Thèbes, morts de peur, que traversaient seuls le pas des soldats de garde et la voix du fantôme, de la campagne où s'enfiévraient les tumultes et les lenteurs de la nuit, où circulaient dans l'air sauvage des odeurs de peste et de famine et où, tapie dans l'ombre, la bête aux seins de pierre, les ailes dressées comme des membranes, attendait le voyageur étranger, le jeune héros, montant vers elle, avec l'impertinence du destin aux lèvres ? [...]

« La machine infernale », c'est celle qui compte, impitoyablement, le temps laissé à l'homme de son illusion, et qui, à l'heure dite, éclate et l'anéantit. Nous retrouvons ici le mécanisme de la surveillance théologique, tel que la poésie de tous les âges s'est efforcée de le dénoncer, tel qu'il hante l'esprit de Jean Cocteau puisque nous avons vu qu'il était implicitement contenu dans des livres comme *Thomas l'Imposteur* et *les Enfants terribles.*

> Roger Lannes,
> *Jean Cocteau,* collection « Poètes d'aujourd'hui » (1945).

Et surtout la pièce trouve un ton et un mouvement de tragédie lorsque marchant implacable à la révélation qui attend comme un piège le couple maudit, et quoique emplie de l'envers des choses, salie de la doublure des héros et des aventures, elle atteint la région de la grandeur. Voilà vraiment interprétées pour un public de culture absente ou singulièrement rancie les figures de l'angoisse humaine, la fuite fantomatique des années, la descente au malheur et à la mort par l'escalier royal et dans l'anéantissement de l'alcôve.

> Henri Clouard,
> *Histoire de la littérature française*
> *du symbolisme à nos jours* (1949).

Dans une autre veine il se tourne vers le style du surréalisme et, reprenant un certain nombre de thèmes grecs anciens, il leur donne une présentation fort lointaine de celle qu'ils reçurent à l'époque d'Athènes. *Orphée* a toute l'inconséquence d'un rêve et innove un mélange bizarre de gai et de terrible : Cocteau permet à ses personnages de défier simultanément les impératifs de la raison et les lois de la gravitation. Le même procédé s'applique à

Antigone (1922) et mûrit dans sa forme la plus satisfaisante dans *la Machine infernale* (1934). Cette pièce, fondée sur le mythe d'Œdipe, qui nous passionnera toujours, nous présente les dieux comme rien d'autre qu'une puissance vicieuse, ou, pour reprendre le titre, une machine infernale, dont l'unique but est d'apporter le malheur à l'homme. En racontant son récit, Cocteau renonce totalement à étonner son auditoire par une surprise quelconque, si ce ne sont les effets résultant de son propre dialogue, alerte et plein d'imagination, et par le contraste entre le récit grec et le mode de traitement qu'il a choisi : non seulement le chœur est amené à résumer l'intrigue par avance, mais encore à élucider le mouvement spirituel de la pièce. Ce mouvement spirituel a pour but, bien que les moyens employés fussent étranges et originaux, d'évoquer l'atmosphère tragique en montrant un personnage humain qui, n'étant pas lui-même grand, parvient à une grandeur insolite en traversant le feu des tortures morales. Dans cet effort, Cocteau a montré une habileté technique consommée, une grande maîtrise de vocabulaire et une sagesse innée dans le choix de ses matériaux. Les styles surréaliste et anti-réaliste peuvent aisément se perdre dans un pot-pourri incompréhensible d'imaginations conçues subjectivement : en choisissant des légendes célèbres et nimbées du fait qu'elles ont été reprises, l'auteur se donne la possibilité de faire des effets par le contraste entre l'ancien et le nouveau et s'assure d'une ferme fondation d'unité dramatique et d'une clarté fondamentale de dessein[1].

Allardyce Nicoll,
World Drama, from Aeschylus to Anouilh (Londres, 1949).

1. « In another mood he turns to the style of surrealism, and proceeds to take a number of ancient Greek themes for a treatment far removed from that which they had received in Athenian days. *Orphée* has all the inconsequence of a dream, introducing a bizarre mixture of the gay and the terrible, allowing its characters to defy at once the dictates of reason and the laws of gravitation. The same process is followed in *Antigone* (1922), and is carried to most satisfying form in *la Machine infernale (The Infernal Machine*, 1934). This last play, based on the ever-fascinating myth of Œdipus, presents the gods before us, in the words of its title, as naught save an 'infernal machine', a vicious power intent on the creating of misery for man. In narrating his story, Cocteau completely abandons any attempt to startle his audience by any surprise except those achieved by his own nimble imaginative dialogue and by the contrast between the Greek story and his chosen method of treatment : he causes his chorus not merely to outline the plot, but also to elucidate the course of the spiritual movement of the play. That spiritual movement aims, albeit by means strange and unfamiliar, at the evoking of a tragic mood by showing a human character who, while not himself of great stature, achieves unwonted dignity by passing through the fire of torment. In this effort Cocteau has displayed consummate skill in craftmanship, power over words, and innate wisdom in the choice of material. The surrealist (and other anti-realistic) styles can easily loose themselves in an incomprehensible medley of subjectively conceived imaginings : in selecting stories well-known and hallowed by previous handling the author at once permits himself the opportunity of achieving effects from the contrast between the old and the new, and secures a firm basis in dramatic unity and in fundamental clarity of purpose. »

Avec *la Machine infernale*, le poète boucle son cycle grec. Il réunit Œdipe, Jocaste, le Sphinx et Antigone dans un concentré de Sophocle, qui surprit alors par sa liberté et par sa familiarité avec les mythes. On voit maintenant ce que le théâtre contemporain lui doit, à travers Giraudoux, Anouilh, Georges Neveux, tant d'autres : d'avoir repeint de couleurs fraîches la tragédie. Une telle entreprise est périlleuse : « Sophocle travesti » vous guette à chaque pas. Ce qui frappe, dans *la Machine infernale*, c'est que l'auteur jamais ne s'abaisse, qu'il reste digne de ses héros. Le drame, transposé, ne perd rien de son horreur sacrée, il gagne en naturel, en vérité. Ce ne sont plus de grands coups de projecteurs pompeux sur Thèbes délabrée, les temples et les palais ont l'innocence des cathédrales, quand le maître d'œuvre a planté le drapeau sur la plus haute flèche.

Michel Aubriant,
Jean Cocteau et le théâtre,
dans *Paris-Théâtre*, nº 81 (février 1954).

L'opposition du passé et de l'avenir est l'unique moyen à la disposition de l'homme pour aborder l'éternité. Cocteau ne l'ignore pas qui a libéré sa mémoire de toutes les images et décomposé l'univers pour produire sur le *vif*, dans le vertige et l'exaltation.

Dès lors les formes prennent un comportement secret, poétique, une invisibilité privilégiée suspecte. Cocteau se sépare de lui-même, se conjugue avec lui-même, nous apporte le message de mondes inconnus. [...]

L'art de Cocteau ne se contente plus de donner à l'apparence une signification humaine et d'éternité, mais crée une abstraction inédite. Une voix s'élève qui proclame : « Les dieux naissent de la mort de l'homme et l'homme naît de la mort des dieux, et ils vivent aussi de leur vie réciproque. » En lui faisant écho, la voix du poète révèle sa transparence.

Maurice Bessy,
Jean Cocteau, ce mensonge qui dit toujours la vérité.
dans *Paris-Théâtre*, nº 81 (février 1954).

Je n'ai pas, loin de là, de mépris pour les jongleurs, et il fut un temps que l'on oublie trop où ceux qu'on appelait de ce nom étaient aussi les poètes, où la part poétique du monde était leur domaine réservé. Mais si l'on entend par jonglerie la vaine démonstration de la virtuosité, les effets obtenus par d'habiles combinaisons de mots et de figures, rien n'est plus loin, en dépit d'apparences qui ne sont que des pièges tendus avec un peu de malignité, de ce qu'est véritablement l'art de Cocteau. Art lourd de tout le poids de l'homme, brillant comme le métal dont on ôte la rouille, d'une dureté et d'un éclat d'armure, angoissé aussi,

obsédé de la présence familière et terrible de la mort, de l'insé-
parable mort, toute vieille et toute neuve, toute neuve pour chacun
de nous.

Thierry Maulnier,
Avant-propos à la *Dramaturgie de Jean Cocteau*.
de Pierre Dubourg (Paris, 1954).

La Machine infernale est le modèle de l'œuvre où tout est compté,
où le thème choisi est épuisé dans ses ressources, où le moindre
détail concourt à l'utilité de la démonstration, où la situation est
complètement exprimée dans le langage de la scène. Le pouvoir
de fulguration propre à Cocteau, ce visionnaire lucide, n'a jamais
mieux joué qu'ici. Le poète va droit au cœur du théâtre, dont il
retrouve et traduit les lois profondes. Il nous rend évidente la
nécessité du théâtre en tant qu'expression.

Pierre Dubourg,
Dramaturgie de Jean Cocteau (Paris, 1954)

Si Racine pouvait être critiqué par ses contemporains pour avoir
fait d'Achille un courtisan amoureux, Cocteau est bien pire dans
sa présentation des figures tragiques d'Œdipe et de Jocaste. Ce
qui restera, lorsque la nouveauté sera passée, sera une manifes-
tation de virtuosité comparable à celle de Rostand dans *l'Aiglon*.
Néanmoins Cocteau invente d'une façon si continue qu'on ne
saurait le rejeter à la légère[1].

Geoffrey Brereton,
A Short History of French Literature (1954).

Tout est poésie chez Cocteau, ce qui n'exclut ni l'intelligence,
ni la puissance.

Marcel Girard,
Guide illustré de la littérature française moderne (1954).

Dans *la Machine infernale*, la marche du temps est assimilée
au fonctionnement d'une machine de science-fiction. Thèbes est
devenue une sorte d'électro-aimant qui attire tous les jeunes orgueilleux avides de gloire et de fastes. Œdipe n'échappe pas à cette
aimantation cosmique, mise en œuvre par le destin pour le perdre,
et ses actes ne sont qu'une pantomime d'homme libre commandée
par toute l'immense machinerie du futur. Mais, contrairement
aux auteurs qui créent de toutes pièces des œuvres de fiction

1. « If Racine could be criticized in his days for recasting Achilles as a
courtly lover, Cocteau does far worse with the tragic figures of Œdipus and
Jocasta. What is left when the novelty has worn off is a display of virtuosity
comparable to the virtuosity of Rostand's *l'Aiglon*. Yet Cocteau has been
too consistently inventive to be dismissed lightly. »

scientifique et d'anticipation, Jean Cocteau n'est pas réellement possédé par l'esprit d'anticipation. Il utilise des perspectives qui procèdent de cet esprit, mais il ne construit pas avec des matériaux qui sont communément mis en œuvre dans les romans d'anticipation et de fiction scientifique. Là résident le secret et l'originalité profonde de quelques-unes de ses œuvres maîtresses.

Yves Touraine,
*La Machine infernale. Incidences de l'anticipation
chez Cocteau*, dans « la Table ronde » (octobre 1955).

En vous éloignant de la mode à une vitesse supérieure à celle du temps, vous avez conservé, par ce mouvement même, le contact avec la tradition. Il vous plaît qu'elle assure la continuité d'un peuple, d'un langage ou d'une institution.

[...] Vous avez demandé à toutes les Muses de conter vos travaux et vos peines. Mais vous n'avez quitté chacune des Sœurs qu'après en avoir tiré tout ce qu'elle peut enseigner.

[...] Tant de louanges, tant d'affections et, depuis quelques mois, tant d'honneurs ne vous ont jamais délivré de l'obsession de la machine infernale.

Cependant il faut tâcher de vivre. Vous avez pour cela vos recettes. La première est l'invisibilité. Votre Personnage protège votre personne.

[...] Nous ne voulons pas voir un académicien de plus, nous voulons voir l'ange Heurtebise.

André Maurois,
*Réponse au discours de réception de M. Jean Cocteau
à l'Académie française* (1955).

Poursuivant ses jeux de virtuose, Jean Cocteau s'exerce à rajeunir la tragédie antique, et sa réussite n'est pas contestable, une fois au moins, avec *la Machine infernale*, qui modernise l'aventure d'Œdipe.

P.-H. Simon,
Histoire de la littérature française au XXᵉ siècle (1956).

La tragédie de Jean Cocteau fourmille de beautés de toutes sortes : dramatiques, verbales, philosophiques. L'auteur, maître absolu de ses moyens, y réagit par instants contre sa propre concision et, se souvenant que les Grecs appréciaient l'éloquence autant que l'ironie, contrepointe son drame de réflexions légères prêtées à Jocaste et ménage au Sphinx un « grand air » qui annonce les cavatines futures du merveilleux opéra verbal que sera *Renaud et Armide*.

André Fraigneau,
Jean Cocteau par lui-même,
Collection « Écrivains de toujours » (1957).

Cependant[1] il semble clair que, dans *la Machine infernale*, Cocteau est enfin parvenu à une synthèse authentique de ses nombreux dons, dons qui auparavant l'avaient tiré dans des directions opposées. Son impulsion vers le mime et le mouvement harmonisés comme un ballet, la tendance inverse pour la faconde, le sens de la nuit obscure de l'âme et la conscience claire et distincte du monde de tous les jours — tous ces éléments furent enfin amalgamés dans la genèse d'une pièce brillante. Cocteau avait enfin réhabilité le cliché et repoli un thème antique en termes d'une perspective moderne de la psychologie humaine. Simultanément il s'était assigné la tâche, comme il dit, de « déniaiser le sublime », et il avait réussi à résister à toutes les tentations qui le poussaient vers la rhétorique, l'emphase pompeuse et l'inflation poétique. Il a, en fait, non seulement modernisé son texte, mais encore il l'a discrètement « humanisé ».

W. M. Landers,
Introduction à l'édition anglaise de
la Machine infernale (Londres, 1957).

La Machine infernale de Jean Cocteau ne nourrit pas des prétentions de moralisme. Elle semble être de l'ordre du divertissement avec des préoccupations métaphysiques de l'arrière-plan, bien entendu.

Il faut croire Cocteau quand il dit dans son prologue qu'il va s'agir d'un « anéantissement mathématique d'un mortel ».

Jean Gillibert,
« les Tragiques grecs au goût du jour, l'Œdipodie ».
dans *le Théâtre moderne, hommes et tendances*,
« Entretiens d'Arras » (1958).

---

1. « It seems clear, however, that in *la Machine infernale*, Cocteau at last has achieved a true synthesis of his many gifts, gifts which had previously pulled in opposite directions. The impulse towards the ballet-pattern of mime and movement, the opposite trend towards verbal display, the sense of the dark night of the soul and the bright awareness of the everyday world — all these elements have now fused together in the making of a brilliant play. Cocteau has successfully "rehabilitated the commonplace" and refurbished an ancient theme in terms of a modern view of human psychology. At the same time he had set out, as he puts it, to *déniaiser le sublime*, and he had succeeded in resisting all temptations towards rhetoric, pompous overwriting and poetic inflation. »

QUESTIONS SUR « LA MACHINE INFERNALE »

ACTE PREMIER

1. Le spectateur vient d'entendre *la voix*, il est donc dans une situation tout à fait particulière au moment où le rideau se lève. Analysez cette situation.

2. Dans cet acte, les militaires ne sont pas nommés, il s'agit d'un *jeune soldat*, d'un *soldat*, du *chef*. Quel but vise cet anonymat ?

3. Analysez le contraste entre le fond et la forme dans ce dialogue d'exposition.

4. L'ironie sceptique de l'officier n'est-elle pas plutôt moderne qu'antique ?

5. En vous reportant au dialogue Œdipe-Tirésias qui précède le dénouement (page 129 et suivantes), vous montrerez combien ces paroles de Tirésias sont prophétiques.

6. Commentez le changement de ton de Jocaste, et en particulier le passage du *tu* au *vous*.

7. Comparez cette explication politique à ce que disait le soldat au sujet de la musique (page 27). Quelles conclusions tirez-vous de cette comparaison ?

8. Le mensonge de Tirésias : le comique de surface ne cache-t-il pas des implications extrêmement tragiques ? Expliquez le mécanisme et l'effet de ce contraste.

9. En quoi consiste le pathétique exceptionnel de ce rendez-vous manqué ?

10. Quel souvenir légendaire éveille pour vous le chant du coq ? Commentez ce rapprochement entre l'histoire biblique et la mythologie antique.

11. Analysez le procédé stylistique de ce passage en montrant comment le passage du concret à l'abstrait correspond au passage du naturel au surnaturel.

12. Montrez comment ces dernières répliques concluent le premier acte tout en servant de préambule au reste de la tragédie.

ACTE II

13. Dans cette phrase, Jean Cocteau mêle des détails transitoires et des détails permanents. Dans quel ordre ? A quoi cela correspond-il ?

14. Quel état d'esprit révèlent ces paroles du Sphinx ? Dans quelle mesure cela rappelle-t-il l'état d'esprit des personnages au premier acte ? Quelle est la valeur de ce rappel ? Le Sphinx ne serait-il pas, lui aussi, une victime ? Pourquoi ?

15. Quelle est la relation entre Anubis et le Sphinx ? Ce genre de relation n'existe-t-il pas aussi dans l'acte précédent entre la reine et Tirésias ?

16. Que pensez-vous de cette philosophie des liens entre les dieux et les hommes ?

17. De la métaphore à l'allégorie : analysez ce procédé de style, puis jugez-le.

18. Quels sentiments éveille chez le spectateur cette pitié de la matrone pour le Sphinx ?

19. Les trois questions du Sphinx ont une valeur différente : vous analyserez la gradation entre elles.

20. Faites le portrait psychologique de chacun des deux grands fils de la matrone.

21. Quels sentiments le Sphinx cache-t-il sous cette banale exclamation ?

22. Analysez l'ironie tragique de cette exclamation de l'enfant.

23. Quelle impression d'ensemble laisse cette scène entre le Sphinx et la matrone ? A quel genre dramatique appartient-elle ?

24. Après cette fausse sortie, c'est Œdipe, et non le Sphinx, qui fait rebondir la scène. Pourquoi ?

25. Cette réplique comporte trois éléments : l'abstrait (la gloire), le concret (ses manifestations) et le verbe final. Expliquez et commentez la juxtaposition de ces éléments.

26. Qui est le vieillard dont parle Œdipe ? Comment pourrait-on définir l'état d'esprit qui caractérise le jeune héros dans cette réplique ?

27. Quel rôle jouent les verbes dans cette réplique ?

28. Cette scène imaginaire n'est-elle pas plus terrible sous cette forme que si elle se déroulait vraiment sous nos yeux ? Expliquez votre réponse.

29. Vous constatez qu'Œdipe — en dépit de son orgueil — n'a pas vraiment trouvé la réponse qu'il donne. Quel est le sens particulier de cette situation ?

30. Commentez cette analogie avec le Destin.

31. Ces deux dernières répliques caractérisent les deux personnalités du Sphinx. Que symbolise chacune de ces personnalités ? Le Sphinx n'est-il pas « demi-femme » ?

32. Quel est de nouveau le double sentiment qui agite le Sphinx ?

33. Que révèle l'habile répétition de « demi-dieu » ? Commentez l'étrange correspondance entre Œdipe et le Sphinx, en vous inspirant de votre réponse à la question précédente.

34. Analysez le contraste entre l'enthousiasme d'Œdipe et la lassitude de Némésis.

ACTE III

35. Œdipe plonge dans le passé de l'acte II. Expliquez comment et pourquoi.

36. Jocaste plonge dans le passé de l'acte I. Expliquez comment et pourquoi.

— Comparez ces deux rappels ; quel sens attribuez-vous à l'analogie profonde qui les unit ?

37. Définissez cette attitude d'Œdipe et montrez en quoi elle est caractéristique d'un héros.

38. Qui a l'avantage dans cette passe d'armes ? Commentez le rapport des forces tel que vous le voyez.

39. Analysez, du point de vue du style, l'emploi de cet adverbe « presque »

40. Commentez ce diagnostic psychologique.

41. Pourquoi Œdipe tutoie-t-il Tirésias ?

42. Analysez la valeur de ce châtiment magique à trois points de vue

   — par rapport à Œdipe,
   — par rapport à Tirésias,
   — par rapport au spectateur.

43. Expliquez le jeu de scène. Quel sens lui attribuez-vous ?

44. Pourquoi ne s'excuse-t-elle pas ?

45. Pour quelles raisons Œdipe devrait-il faire attention à cet avertissement ?

46. Montrez comment ce jeu de scène détruit l'effet du dialogue d'amour qui le précède.

47. Analysez l'ambiguïté des quatre répliques précédentes

48. Comparez ce récit avec ce qui arriva réellement.

49. L'art des préparations est très important au théâtre. Par quels moyens Jean Cocteau nous a-t-il préparés à ce *cri terrible* que pousse Jocaste au moment où elle entrevoit la vérité ?

50. Quels sentiments cette constatation va-t-elle éveiller chez les spectateurs ?

51. Étudiez la part du mensonge dans les relations entre Œdipe et Jocaste. Quelle est la signification de cet élément dans le jeu du destin ?

52. Quel sens donnez-vous à cette cascade de verbes ? (Revoir votre réponse à la question 27 avant de préciser votre pensée.)

53. Jugez cette fin d'acte à trois points de vue :
   — la mise en scène,
   — la psychologie des personnages,
   — l'ironie tragique.

ACTE IV

54. Que pensez-vous de cette définition du destin que nous donne *la voix* ?

55. La sage réplique de Tirésias s'adresse-t-elle seulement à Œdipe ?

56. Cette supposition n'est-elle pas l'expression d'une vérité profonde, caractéristique de l'attitude d'Œdipe ?

57. Cherchez dans le premier acte ce qui préparait cet événement tragique.

58. Faites, d'après ces quelques répliques, le portrait psychologique de Créon et celui de Tirésias. Montrez comment ces deux hommes s'opposent et en quoi ils symbolisent l'opposition du pouvoir temporel et du pouvoir spirituel.

59. Jocaste appelle Œdipe « mon petit enfant »; Antigone appelle Œdipe « mon petit père ». Commentez cet étrange parallélisme; n'est-ce pas le signe que le destin passe au travers des générations comme l'épingle au travers de l'étoffe?

60. Au début de la tragédie, Jocaste comptait les marches seule; maintenant elle les compte avec Antigone. Quel est le sens symbolique de ce changement?

61. Partagez-vous les doutes de Tirésias? N'est-il pas intéressant de voir que la tragédie, qui a commencé par l'apparition du fantôme de Laïus et s'est terminée sur l'apparition du fantôme de Jocaste, se termine sur le doute prophétique du devin?

SUJETS DE DEVOIRS

Essais :

● Comparez l'*Œdipe* d'André Gide, *la Machine infernale* de Jean Cocteau et l'*Antigone* de Jean Anouilh. Vous étudierez plus particulièrement les points de vue suivants :

a) l'action par rapport au spectateur,

b) la psychologie des personnages communs aux trois pièces,

c) la philosophie des trois dramaturges.

● Imaginez un dialogue entre un partisan et un détracteur de *la Machine infernale.*

Exposés :

● *La Machine infernale* et les unités.

● La variété des styles dans *la Machine infernale* (analysez un exemple de chacun des styles employés : familier, lyrique, tragique, extra-lucide).

● Définissez le destin et analysez son mode d'action.

● Essayez de définir le *héros* (par rapport à Œdipe) et l'*héroïne* (par rapport à Jocaste).

● Comparez le rôle de Tirésias à celui de Créon.

● Dans quelle mesure les indications de mise en scène sont-elles importantes pour l'intelligence des dialogues de la pièce ?

● Croyez-vous que celui qui ignore tout de la littérature grecque et des légendes antiques puisse prendre autant de plaisir que le lettré à voir *la Machine infernale ?*

● Voyez-vous une différence entre le destin et la prédestination, au sens janséniste du mot ?

● Y a-t-il un « classicisme » de Jean Cocteau ? (Comparez *la Machine infernale* à *Phèdre.*)

● Y a-t-il un « romantisme » de Jean Cocteau ? (Comparez *la Machine infernale* à *Ruy Blas.*)

● Auricz-vous fait du Sphinx une jeune fille amoureuse ? Justifiez votre réponse.

Dissertations :

● Discutez le jugement de Corneille montrant que toute la tragédie a été causée parce que Laïus et Jocaste voulaient connaître l'avenir et ainsi empiétaient sur le pouvoir des dieux (v. la note **3**, page 26).

● « Une tragédie est une pièce qui inspire la terreur et la pitié », selon Aristote. Dans quelle mesure cette définition s'applique-t-elle à la pièce de Cocteau ?

● Comparez les implications philosophiques de l'attitude d'Œdipe dans *la Machine infernale* à celles de l'attitude d'Oreste dans *les Mouches* de J.-P. Sartre.

● « L'histoire d'Œdipe est un enchaînement de hasards malheureux » (F. Germain). Discutez cette affirmation.

● Comparez le rôle du surnaturel dans *Athalie* et dans *la Machine infernale*.

● Montrez comment Cocteau a conçu l'imitation de l'*Œdipe roi* de Sophocle et analysez son apport original.

● « Le rêve précède l'action » (G. Bachelard). Montrez l'importance de cette pensée par rapport à la technique dramatique de Cocteau et par rapport à sa philosophie de la vie.

● « Il faut la grossière ingénuité des mortels pour dresser l'invisible à son cran d'arrêt et lui rendre toutes ses forces. » (Roger Lannes.) Ce jugement exprime-t-il vraiment l'essence de *la Machine infernale* ?

● La définition de la tragédie donnée par J. Anouilh dans *Antigone* (v. page 26, note 3) s'applique-t-elle à *la Machine infernale* ?

———————

TABLE DES MATIÈRES

Mame Imprimeurs - 37000 Tours
Dépôt légal Février 1975. - Nº 25780. - Nº de série Éditeur 15953
IMPRIMÉ EN FRANCE *(Printed in France)*. - 870 033 K. Juin 1991.

un dictionnaire de la langue française pour chaque niveau :

NOUVEAU DICTIONNAIRE DU FRANÇAIS CONTEMPORAIN ILLUSTRÉ
sous la direction de Jean Dubois

- 33 000 mots : enrichi et actualisé, tout le vocabulaire qui entre dans l'usage écrit et parlé de la langue courante et que les élèves doivent savoir utiliser à l'issue de la scolarité obligatoire.
- 1 062 illustrations : un apport descriptif complémentaire des définitions et qui permet l'introduction de termes plus spécialisés n'appartenant pas au vocabulaire courant ou ne nécessitant pas d'explication autre que celle de l'image.
- Un dictionnaire de phrases autant qu'un dictionnaire de mots, comme dans l'édition précédente, selon les mêmes principes de description du lexique et du fonctionnement de la langue.
- Le dictionnaire de la classe de français (90 tableaux de grammaire, 89 tableaux de conjugaison).

Un volume cartonné (14 × 19 cm), 1 296 pages.

LAROUSSE DE LA LANGUE FRANÇAISE lexis
sous la direction de Jean Dubois

Avec plus de 76 000 mots des vocabulaires courant, classique et littéraire, technique ou scientifique , c'est le plus riche des dictionnaires de la langue en un seul volume.
Par la diversité de ses informations sur les mots, par la construction raisonnée de ses articles et par son dictionnaire grammatical, c'est un instrument de pédagogie active : il s'adresse aussi à tous ceux qui veulent comprendre le fonctionnement de la langue et acquérir la maîtrise des moyens d'expression.

Nouvelle édition illustrée : un volume relié (15,5 × 23 cm), 2 126 pages dont 90 planches d'illustrations par thèmes.

GRAND LAROUSSE DE LA LANGUE FRANÇAISE
7 volumes sous la direction de L. Guilbert, R. Lagane et G. Niobey; avec le concours de H. Bonnard, L. Casati, J.-P. Colin et A. Lerond

Un dictionnaire unique parce qu'il réunit :
- la description la plus complète du vocabulaire général, scientifique et technique, classique et littéraire, avec prononciation, syntaxe et remarques grammaticales, étymologie et datations, définitions avec exemples et citations, synonymes, contraires, etc.;
- la documentation la plus riche sur la grammaire et la linguistique : près de 200 articles (à leur ordre alphabétique) donnant une analyse détaillée des diverses théories, passées ou actuelles, sur les principaux concepts grammaticaux et linguistiques;
- un traité de lexicologie exposant les principes de la formation des mots et la construction des unités lexicales.

7 volumes reliés (21 × 27 cm).

*GRAND DICTIONNAIRE ENCYCLOPÉDIQUE
10 volumes en couleurs

Avec le G.D.E., vous êtes à bonne école : fondamentalement nouveau et d'une richesse unique, cet ouvrage permet à chacun d'approcher et de comprendre toutes les connaissances et les formes d'expression du monde actuel qui, en moins d'une génération, se sont complètement transformées.

Il est à la fois :

dictionnaire pratique de la langue française

Il définit environ 100 000 mots de vocabulaire et indique la façon de s'en servir, en rendant compte de l'évolution rapide de la langue, il constitue une aide à s'exprimer, un outil de vérification constant par ses explications;

dictionnaire des noms propres

Avec plus de 80 000 noms de lieux, personnes, institutions, œuvres, il rassemble une information considérable sur la géographie, l'histoire, les sociétés, les faits de culture et de civilisation du monde entier, à toutes les époques, en fonction des sources de connaissance les plus récentes et les plus sûres;

dictionnaire encyclopédique

Il présente et éclaire les réalités associées au sens des mots. Ainsi, il renseigne sur les activités humaines, sur les idées, sur le monde physique et tout ce qui participe à l'univers qui nous entoure. Dans toutes les disciplines, les informations encyclopédiques expliquent le domaine propre à chacun des sens techniques, en fonction des progrès de la recherche et des modifications des vocabulaires scientifiques;

... et documentation visuelle

L'illustration, abondante et variée, est essentiellement en couleurs : dessins et schémas, photographies, cartographie, adaptés à chaque sujet. Elle apporte une précision et un éclairage complémentaires à ce grand déploiement du savoir-exploration.

10 volumes reliés (19 x 28 cm), plus de 180 000 articles, environ 25 000 illustrations. Bibliographie.